妖琦庵夜話

魔女の鳥籠

榎田ユウリ

角川ホラー文庫
19140

妖琦庵夜話《ようきあんやわ》

魔女の鳥籠

洗足《せんぞく》伊織《いおり》

妖琦庵の主で、茶道の師範。長い前髪で、左目を隠している。非常に鋭い観察力の持ち主で、記憶力もずば抜けている。聡明な美男子だが、気難しく、毒舌家。

脇坂《わきさか》洋二《ようじ》

警視庁妖人対策本部の新人刑事。甘めの顔立ちをした、今時の二枚目。かつては妖人と妖怪を混同しがちだったが、伊織の厳しい指導でだいぶ改善されている。

鱗田《うろこだ》仁助《にすけ》

警視庁妖人対策本部に所属。東京の下町生まれで、現場叩き上げのベテラン刑事。年の離れた相棒の脇坂に戸惑いもあったが、順応しつつある。

青目《あおめ》甲斐児《かいじ》

女性ならば誰しもが惑わされるほどの美丈夫。そのフェロモンで女性を騙すことを得意としている、反社会的妖人。

夷《えびす》芳彦《よしひこ》

伊織の家令（執事的存在）。《管狐《くだぎつね》》という妖人。特定の家に憑き、災いをなしたり、逆に守ったりするとされている。容姿は涼しげな美青年風。

弟子丸《でしまる》マメ

伊織の家の、不器用な家事手伝い。純粋で涙もろい。見た目は少年だが、すでに成人ずみの幼形成熟型《ネオテニー》妖人。《小豆とぎ》なので、動揺すると小豆をといで心を落ち着かせる。

かつて私はあなたの一部だった。小さな小さなたまごとして、あなたの中に存在していた。私は完全にあなたに依存しており、私とあなたは分かちがたいものだった。なぜあなただったのか。ほかの誰でもなく、あなただったのか。あなたから生まれてきたのか。それはきっと奇跡と言っていいことなのだろう。

けれど時々、その奇跡がどうしようもない絶望に感じられてしまうのだ。

※

——初対面の相手について知りたいなら、靴を見ればいいわ。

そう言っていたのは、母だ。

——お化粧や洋服はごまかしがきくものよ。でも靴はそういうわけにはいかない。高いか安いかという話じゃないの。そんなのはどうでもいいこと。靴にはその人自身のあり方が出てしまう。安い靴を粗雑に扱って履き潰《つぶ》すだけの人。高級ブランドのヒールに、傷がついたままで平気な人。高価ではないけれど、しっかりした靴を手入れしながら長く履く人……。

なるほどな、と頷《うなず》ける部分もあった。当時の私は私立中学校に通っており、学校指定の革靴を履く決まりだったが、成績のよい友達の靴はいつも綺麗《きれい》に磨かれていた。かくいう私も優等生で、靴が汚れたまま通学することは考えられなかった。もともとは母に叱られないためだったのだが、いつしか自分でも靴の汚れが気になるようになって、進んで磨くようになっていた。それを躾《しつけ》というのなら、母は躾に成功したのだ。

また、母はこうも言っていた。

——会う場所を相手に選んでもらうのも一案ね。どんな場所を選ぶかで、相手をより知ることができる。

私は少し戸惑った。母の言わんとしていることはわかるのだが、何だか他人を値踏みするようにも感じられたからだ。すると母は、私の気持ちの変化をすぐに読み取り、

——もちろん逆のことも言えるのよ。あなたが選ぶ側ならば、相手のことをきちんと考え、ふさわしい場所を指定しなければならない。誰かになにかを期待するなら、あなたも同じだけのことか、それ以上のことができなければならないの。わかるはずでしょう、私の娘なんだから。

そんなふうにつけ足した。

……よくよく考えると、不思議な台詞《せりふ》だ。なぜ、私の娘ならわかるはず、と母は思っていたのだろう。母娘《おやこ》といえどあくまで別の人間である。考えていることはそれぞれ違うのだし、互いの頭の中を覗《のぞ》けるわけでもない。なのに、母は自信満々でわかるはず、と言いきったのだ。

いずれにしても、母の言葉は間違ってはいなかった。

選ぶ靴、選ぶ場所、それらは確かに情報を与えてくれる。もちろん、相手のすべてがわかるわけではないにしろ、おおまかな予想はつけられる。その予想を元に、会話の糸口を探すのは効率的だった。大人になってからは、相手の靴を見るのが癖になってしまったほどだ。

だから私は今も靴を見る。

目の前に座っている女性の靴を、さりげなく盗み見る。

地味、というのが第一印象。正直にいえば、野暮ったい。焦げ茶の、たぶんショートブーツ。ジーンズをはいているので、見えるのは靴の先端だけ。頑丈そうなそれはかなり履きこまれているようで、雨染みが見て取れる。今日はいい天気だから、昔ついた染みだろう。ファッションにあまり興味のない人の靴だ。

もっともそれは、靴を観察するまでもなく、彼女の服装からして一目瞭然《りょうぜん》だった。暗いグレーのセーター。ケーブル模様の編み込みはちょっと流行《はや》っているらしいが、彼女のは単に古いだけだ。全体的なシルエットや、毛玉を見ればわかる。穿《は》いているジーンズは細身ではなく、男性的なストレートのシルエット。フェミニンな雰囲気はまったくない。中途半端に伸ばした髪は、ただの黒いゴムで無造作にくくられている。私ももう少し地味な恰好《かっこう》にしてくればよかったと思うが、今更遅い。春を先取りした淡いピンクのニットアンサンブルは、決して派手ではないけれど、母が見たら「浮かれた色合いね」と鼻で嗤《わら》うかもしれない。

「……今日は……寒いですね」

彼女はそう発したものの、俯《うつむ》いたままで私を見ようとはしない。背中を丸めて座っているが、背はかなり高いと思う。私は六センチヒールのパンプスを履いているが、それでも彼女のほうが大きいだろう。

「そうですね。寒いですね」

答えながら思う。当たり前だ、二月なのだから。

それでも私たちは天候の話をする。晴れててよかったですね。そうですね。でも明日は雪になるかもしれないそうですよ。それは困りますね、電車とか、止まらないといいですね。そうですね、東京は雪に弱いですもんね……。

当たり障りのない会話は、準備運動みたいなものだ。なかなか本題に入れないけれど、初対面なのだから仕方ない。そもそも私たちは、互いのことをなにも知らない。たったひとつの共通点を除いて、なにも知らない。

ああ、でも名前は知っている。さっき聞いたから。

ユキ。彼女はユキという名前なのだ。

漢字の説明はなかったからわからないし、それはきっとどうでもいいことだ。私もすでに名乗っている。カオリですと伝えた。私の場合、名前はそのままカタカナなのだが、そのことを告げてはいない。これもやはりどうでもいいことに思えたからだ。

隣の席の中年男性が立ち上がった。

男性の重そうなウールコートの裾《すそ》が、軽く私の肘《ひじ》を掠《かす》める。駅ビルの中にあるチェーン店のカフェは狭苦しい。店内に多くの客を詰め込もうとするため、どうしても隣が近くなる。当然、互いの話し声も聞こえやすい。こういった場所は、今日の会合に適当とは言えない。私だったら選ばない。ユキさんはそういうことを気にしない人なのか、単に気が回らないだけなのか……。

「………さっきも、言われちゃったんです」

「え」

突然話が始まって、私はいくらか戸惑った。

「出かけるのって聞かれて、少しだけって答えたら、いいわねぇ、あんたは好きな時に好きなところへ行けて、あたしなんかこの脚だから、ちょっと買い物に出るのも不安でしょうがないってのに、それに今なんだか風邪気味だし、頭痛もするし。こんな時に独りにされるのって、不安なものよ。いいのよ、行ってきなさいよ、大丈夫、あんたがいない時に死んだりしないから、そんなことになったらあんただって後味悪いだろうから、とりあえず死なないようにしておくから、気にしないで行ってらっしゃいよ……、って」

ひと息に喋《しゃべ》り、ユキさんは一瞬顔を上げ、また俯く。

小さな目には不満の色が湛《たた》えられていた。メイクはほとんどしていないが、眉《まゆ》はいくらか整えて、唇には薄い色のリップクリームを塗っている。見ただけではわからない程度の色味なのだが、白いコーヒーカップにべたりとついた跡でわかった。高い頬骨に、丈夫そうな顎《あご》。美人ではないが、不美人と言いきるほどでもない。ただ、女性としての華やかさに乏しい人だった。チークをさせば、ずいぶん印象が変わるのに、などと余計なことを考える。

「ほんの一、二時間出かけるだけで、そんなふうに？」

私が問うと、下を見たままで頷く。つむじがふたつあるのが見えた。

「機嫌のよしあしにもよりますけれど……体調が思わしくない日はだめですね」

「お身体になにか問題が？」

「右脚が悪くて、杖《つえ》が手放せません。私が子供の頃、車道に飛び出していったのを慌てて追いかけた時、自分が車にぶつかってしまって……」

「そんなことが……大変でしたね」

「だからって、まったく動けないわけじゃないんです」

　ユキさんは早口に言って、また顔を上げる。

「家の中では杖なしでも移動できるし、トイレもお風呂《ふろ》もひとりで平気です。ただ、運動ができないから、かなり太ってしまってて、それも脚に負担をかけてるんですよね。もうすでに糖尿病予備軍だってお医者さんに言われてるんですけど、食べるのだけが生き甲斐《がい》だからって。テレビや雑誌に出たお店に行くのも好きで、でもひとりでは絶対に行きたがらなくて……」

「では、いつもお母様とご一緒に行動を？」

「はい。母の口癖は『あたしはひとりじゃ生きていけないのよ』ですから……」

　なにかを堪《こら》えるように俯き、ユキさんは両手でコーヒーカップを包むように持つ。ひとりじゃ生きていけない……うちの母には考えられない台詞だ。

「そんなふうに縋《すが》ってこられると、辛《つら》いですね」

「縋ってくるというか……泣きつかれるわけじゃないんです。基本的に母はとても明るい性格なので」

「ああ、明るいのはいいことですよね」

「どうかな……だって、笑いながら言うんですよ。あたしはひとりじゃだめだから、あんたが犠牲になっちゃうわよねえ、って」

「笑いながら？」

ユキさんが頷《うなず》き、今頃コーヒーに砂糖を入れる。もうぬるくなってしまっているので、砂糖はなかなか溶けない。ぐるぐると、どこかむきになってコーヒーをかき混ぜながら、ユキさんは続けた。

「なんていうか……屈託のない人なんです。体調さえよければとても明るくて、素直で正直です。変なところに前向きっていうか、うちの父が早くに死んだことや、脚が不自由なのに対しても、悩んだってしょうがないと思っている感じがあります。それは確かにそうなんだけれど……その、しょうがないんだから受け入れろという感覚を、こっちにも求めてきて……」

「それはつまり、ユキさんがお母さんの面倒を見ることも、しょうがないんだから受け入れろという？」

「ああ、はい、それです」

ユキさんが顔を上げ、ほとんど初めてこちらを見て言った。

「娘なんだから、当たり前よねっていう顔してます」

そうか、ここでも出るのか。

私の娘なんだからという理屈――それはまるで魔女の呪文《じゅもん》だ。

「……ユキさん。私、時々考えるんですけれど」

私が切り出すと、ユキさんはやっとコーヒーをかき混ぜるのをやめ「あ。はい」と返事をする。スプーンをソーサーに置く前に軽く振り、水滴がテーブルにひとつ飛ぶ。

「『あなたは私の娘なんだから』というのと同じ意味で、『あなたは私の息子なんだから』っていうの、あるんでしょうかね？」

「え？」

ユキさんは一重の目を瞬かせる。私の言いたいことがわからなかったようだ。

「ごめんなさい、わかりにくいですよね。つまり……母親って、娘には言わなくても伝わると思ってる節があるじゃないですか。あなたは私から生まれた娘なんだから、お母さんの気持ちを理解しているでしょう。いちいち説明しなくたってわかるでしょう……みたいな」

「ああ、そういう。はい、ありますね。そのたびに心の中で、わかんないよそんなの、って思っちゃいます」

「あれって、息子にも言うんでしょうか？　おまえは私の産んだ息子なんだから、言葉にしなくてもお母さんの言いたいことがわかっているでしょう、とか……」

「……どうかな……」

ユキさんは目を細めて考えている。

しばらくすると小さく首を傾げて「言わない気がします」と答える。

私も同じ考えだ。

母は息子に、自分を理解しろという要求をさほど突きつけない。思春期を迎える頃には、むしろ息子のことが理解できないと嘆いて、苦しむのではないか。そして『男の子なんだから、しょうがないのね』という結論に達する。男である息子を、女である母親が理解するのは無理なのだと、諦《あきら》めがつきやすいのだ。当然、息子が自分を理解してくれるとも思わない。

けれど娘は期待される。

女同士だからわかるでしょうと、母への理解を期待される。

場合によっては、期待どころか義務となって、重くのしかかってくる。

「うちの場合、そもそもの怪我の原因があたしにあるので……母に逆らうことはできません。兄は高校を卒業してすぐ寮のある会社に入って、ぜんぜん帰ってこないし……」

ユキさんはそう語った。

「母は兄を怒っていますけれど、だからといって帰ってきてほしいとも言わないんです。お兄ちゃんが帰ってきたらあんたの居場所がなくなっちゃうしね、なんてふざけた調子で笑ってます」

「お兄さんがいらっしゃるんですね。私は一人っ子なんです。うちの母は、ユキさんのお母さんとはまた違うタイプで……」

「一緒に住んでいらっしゃるんですか？」
「いいえ、私は結婚して実家を出ています。といっても、同じマンション内ですけど」
「いいな。うらやましいです」
そのうらやましいは、実家を出ていることに対してなのか。あるいは結婚しているこ
と？　両方という可能性もある。あまり触れずにおいたほうがいいかもしれない。私は
苦笑しながら「とにかく、早く母から離れたくて」と言い添える。
「でも、実家を出たところで、私と母の関係は変わりませんでした。夫は単身赴任で地
方に行ってしまい、娘とふたり暮らしですが……母は合鍵《あいかぎ》を持っていて、連絡もなしに
突然やってきます。たぶん留守のあいだも、勝手に入ってると思います。フロアが違う
だけで、なにしろ近いし」
「え。合鍵、渡しちゃったんですか？」
「私と子供が同時にインフルエンザになってしまって、どうしても母の協力が必要だっ
た時があって……。一時的に鍵を渡していたのですが、それをもとにスペアキーを作っ
てたみたいです。勝手にそういうことをされたら困るって言ったら、緊急事態の時にど
うするのって逆に怒られてしまって……怒ると怖いんですよ、うちの母」
作り笑顔で言うと、ユキさんは眉を寄せて「そんなに怖いんですか」と聞いてくれる。
「怖いです」
「キレる系？」

「いえ、正論で捲《まく》し立てる系、かな。言葉のきつい人で……。しかも、間違ったことは言っていないから、反論が難しいんですよね。合鍵の件にしても、母の言ってることももっともで……実際、病気という緊急事態の時は助けてもらったし……。とにかく頭の回転の速い人なので、口ではまず敵《かな》いません」

「うちと逆かもしれませんね。あたしの母は感情で押してくるタイプ。私が『納得がいくように説明してよ』って迫っても『だってそう思うんだからしょうがないでしょ、気持ちの問題なんだから』って開き直っちゃうんです」

気持ちの問題……。それを言われたら、もうどうしようもない。理屈ならば多少の隙を探すこともできるが、気持ち、つまり感情をドンと目の前に提示されても困る。

「それも手強《てごわ》いですね」

「ほんと、困るんです。その理屈がまかり通るなら、母がそう思っていても、あたしはそう思わないこともあるわけで……じゃあ、あたしの気持ちはどうしたらいいのってことですよね……。あたしはいつも自分の感情を殺して、母の気持ちを優先させなければならないのかって」

「そういうふうに、お母さんに言ったことあります？」

「あります。試しに一度、言ってみたんです。思いきって」

「そしたら？」

ユキさんは顎《あご》の先にできている小さな吹き出物を、指先で弄《いじ》りながら答えた。

「そうよ。あたしを優先させてよ……って」

彼女の母親は堂々と言ってのけたそうだ。

──だってあたしはたくさんのことを犠牲にしてあんたを育ててきたのよ。なにもできない赤ん坊だったあんたを、なにもわからない子供だったあんたを、ここまで大きくしたのはあたしなのよ。おしめを替えて、ごはんを食べさせて、宿題を見て……それがどれだけ大変な仕事だったか、想像してみてよ。だから、その恩を返してもらわなくちゃ。今度はあたしを優先してちょうだい。

「それに……自分は先に死ぬからって……」

──いい？　私は絶対あんたより先に死ぬのよ。こんな脚なんだからね、運動は無理で、どうせもうすぐ糖尿になる。あれはいろいろと合併症が出る病気よ。あたしはきっと、平均寿命より早く死ぬ。その時にあんた後悔するわよ。もっとママにいろいろしてあげればよかったって後悔する。そんなふうにならないようにしてあげてるんじゃないの。ママだって、時々は心苦しいのよ。脚が悪いからって、あんまりわがまま言っちゃいけないって思うこともある。でもそんなふうに思って落ち込んで、鬱病《うつびょう》とかになっちゃったら大変じゃない。あんたにもっと迷惑かかるでしょう。だからママは、いつもいい気分で過ごそうと心がけているの。それがあたしたちにとって一番平和な方法だって、わかっているの。

「なんというか……開いた口が塞《ふさ》がらないっていう気分でした」

吹き出物から滲《にじ》む血を紙ナプキンで押さえてユキさんは言った。あんまり弄らないほうがいいのにと思ったが、口には出さないでおく。

「あそこまで自分を肯定できるなんて、いっそ母がうらやましいです」

「すごいですね……」

「天然、っていうんでしょうか、ああいうのも……。あ、すみません、あたしの話ばっかりしちゃって。ええと、カオリさんはお子さんがいらっしゃるんですね」

「はい。四歳になる娘が」

「可愛いんでしょうね。カオリさん、美人だし」

「いえ、そんな」

「美人ですよ」

二回言われた場合、二回目の謙遜《けんそん》は難しい。

同じ言葉を繰り返すのも芸がないし、同性からのこの褒め言葉は、単純な賛辞ではないケースがほとんどだ。だから私はいつも、

「メイク上手って言われるんです」

笑いながらそうはぐらかすことにしている。あとは少しでも早く次の話題に移るのが得策だ。

「娘はおとなしくて、手のかからない子なんですけど……時々、不安になるんです。もしかして私も、自分の母と同じような子育てをしてしまうんじゃないかって」

「でもカオリさん、とてもきちんとしてますよ……それって、お母さんの教育がよかったんじゃないでしょうか」

初めて会ったのに、なぜ私がきちんとしていると思うのか。要するにそれは、見た目や言葉遣いだけ……つまり上っ面のことだ。人はたいていの場合上っ面だけで他人を判断しようとするし、概《おおむ》ねしかたのないことでもある。

「母はよく言えば教育熱心でしたが、今思うと厳しすぎました。よくアメとムチなんていいますが、うちの場合ほとんどがムチ。ぶたれたりはしなくて、ひたすら言葉の攻撃ですね。もちろん母に悪気はないんです。娘のためと思って言ってるんです」

「よく『あんたのため』って言われますけど、あれきついですよね」

「ええ。そう言われてしまうと、こちらはなにも言い返せませんから……」

これもまた、魔女の呪文《じゅもん》だ。

思うに、母親というのはたくさんの呪文を持った魔女なのだ。

その呪文はなぜか息子より娘によく効くらしい。魔女の家がうっとうしくなったら、息子たちは逃げられる。逃げて、別の人生を歩み始める。けれど娘はなかなか逃げられない。逃げても魔女は追ってくる。新しい家庭を持ってもなお、当然という顔をして乗り込んでくる。

あなたは私の娘なんだから。

あなたのために言ってるんだから。

……繰り出される呪文が、娘を雁字《がんじ》搦《がら》めにする。

他意はないのだろう。悪意もないのだろう。母の愛情を疑ったことはない。だからこそ厄介なのだ。愛情を否定できない以上、母の言葉を否定するのは難しい。

「あの、カオリさん。どうして新居を同じマンションにしちゃったんですか？　せっかく離れられる機会だったのに……」

まったくだ。千載一遇のチャンスを私は逃してしまった。

「結婚が決まった頃、母がすごく寂しそうな顔を見せるようになったんです。これからはお母さんひとりになっちゃうのね……なんて、今まで聞いたこともないことを言い出して。気が強くて、弱音を吐くようなタイプじゃないのに」

「ひとり……？　お父さんは……」

「実は、うちの両親は昔から仲が良いとは言えなくて……父はあまり家に帰ってこないんです。仕事が忙しいのもあるでしょうけれど」

「そうなんですね……。それでお母さん、カオリさんに、近くにいてくれって言い出したんですか？」

私は力なく笑って「いいえ」と答えた。

「近くに住んでくれと強要されたら、私は母から逃げていたと思います。でも母は絶対にそうは言いませんでした。あなたの人生なんだから、好きなようにしていいのよ。これからあなたも母親になるのだから、私のことなんか気にしなくていいの……と」

ユキさんが眉尻《まゆじり》を下げて頷《うなず》く。説明をする必要はなかった。彼女もまた、同じ手を使われたことがあるのだろう。私より多くやられているのかもしれない。

そう、魔女の罠《わな》なのだ。

私のことは捨てて行けと言いながら、裾《すそ》を摑《つか》んで離さない魔女。

それが策略や作戦ならまだいい。恐ろしいのは、魔女たちは嘘をついてはいないのだ。本当に心から娘の幸せを願っているのだ。もちろんそれと同時に自分の幸せも切望していて、両者が相反する時でも、魔女は両方を手に入れたいのだ。

「結局、私は自分で母の近くを選んでしまいました。夫も、自分は仕事が忙しくて留守がちだし、そのほうが安心だって言ってくれて……」

「あぁ……」

「旦那《だんな》さんはなんのお仕事をされてるんですか？」

私は「会社員です」と答えた。

あまり親しくない人には、いつもこう答えることにしている。夫は会社員、私は専業主婦です、と。

「マンションの部屋が空いたのも……今考えるとタイミングが悪かったですね。当時はちょうどよかったなんて言ってましたけど」

「お住まい、どちらなんですか？　この近くですよね」

またただ。ユキさんは、屈託なくプライベートな質問をぶつけてくる。

　自分の母親のことを天然だと言っていたけれど、その血を受け継いでいるのだろう。いずれにせよ、互いにこの町に住んでいることは、あの人から聞いて知っていた。マンション名くらいなら教えても差し支えないだろうと、私は答える。

「グランビューセントラルというマンションです」

「えっ」

　眉毛をひょこんと上げて、ユキさんが「うちもですよ！」と答えた。

　なんという偶然……と言いたいところだが、駅から徒歩五分のタワーマンションは、全世帯数が三百を超えるので、あり得ないことではない。私は微笑みながら「一緒でしたか。駅近で便利ですよね」と答えつつ、内心でユキさんがまた質問をしてこないといいな、と思った。タワーマンションの住人にありがちな、例の質問だ。

「そうか。同じだったんですね。……ちなみに何階ですか？」

　私の予感は当たった。かといって、ここで適当にはぐらかすのもかえって感じが悪い。31階です、と答えると、微妙な間があった。

「眺望、よさそうですね」

　ユキさんがぎこちなく笑い、コーヒーを飲み干した。自分が何階なのかは言わない。白いカップの底には溶けきれなかった砂糖がざらりと溜《た》まっていて、なんで熱いうちに入れなかったのか、私には本当に不思議だった。

一

鍋焼《なべや》きうどん、時価。

うまいんだか下手なんだかわからない、でもたぶん下手なんじゃないだろうかと思われる、壁に貼られた手書きの品書きを見ながら鱗田《うろこだ》は考える。今日の鍋焼きうどんはいくらだろうか。そして何が入っているのだろうか。

「ウロさん、鍋焼きいくんですか？」

向かいに座った脇坂《わきさか》に聞かれ「ウーン」と唸《うな》り、剃《そ》り残しの髭《ひげ》がちくちくする顎《あご》を撫《な》でる。そろそろシェーバーの刃を替えなければならないようだ。

「春なのに、なんか寒いですもんね。鍋焼き食べたいですよね。僕も食べたいんです。でもここで鍋焼き頼むのってちょっとした賭《か》けだからなあ……」

オフホワイトの春物コートを着たまま、脇坂は首を竦《すく》めるようにしてそう言った。古色蒼然《こしょくそうぜん》とした藪蛇庵《やぶへびあん》の店内は、隙間風が入ってきていささか寒い。

「脇坂、おまえ値段聞いてみろ」

「はい。店長さん、今日の鍋焼きうどんはおいくらなんですか？」

その質問に、カウンターの中にいたくたびれた風貌《ふうぼう》の店主が「エ、今日はァ、そうですなァ、せんえん、ちょうどで」と答えた。まるで今決めたような口ぶりだが、最初から決まっていたとしても、おそらくこの店主はこういう答え方をする。

「ウロさん、千円ジャストですよ。これって海老天《えびてん》の予感です」

脇坂はやや興奮気味だ。藪蛇庵の鍋焼きうどんはその日によって具材が違う。しいたけ、かまぼこ、ネギなどはいつも入っているが、問題は天ぷらの中身である。通常、鍋焼きうどんといえば海老天なわけだが、その常識は藪蛇庵では通用しない。どうやら店主にはそれなりのこだわりがあるらしく、その日気に入った海老がなければ鍋焼きうどんに海老は入らないのである。以前鱗田が注文をした時は、七五十円の鍋焼きうどんで玉葱《たまねぎ》のかき揚げが入っていた。それはそれでうまかったのだが、やはり海老がいてくれないと何となく寂しい。

「よし、鍋焼きいってみるか」

「いってみましょう。男は度胸です。最近は愛嬌《あいきょう》もないとやっていけませんけど。店長さん、鍋焼きうどんふたつお願いします」

脇坂のオーダーに店主は「アイヨ」と釜《かま》の蓋《ふた》を開けた。厨房《ちゅうぼう》でゆらりと白い蒸気が立ちのぼる。

「それにしても、さっむいなあ……」

脇坂が膝《ひざ》を揺らして言う。

「もう四月なのになんでこんなに寒いんですかね。地球は全体的に温暖化してるはずなのに、東京だけこんなに寒いなんておかしくありませんか」

「おかしかないよ。おまえ寒がりだな」

「冷え性なんです。あんまり血行がよくないみたいで……」

「頭の？」

「ウロさんまで、先生みたいなこと言わないでくださいよ」

口をとがらせた脇坂を見て鱗田は笑った。この場合の先生とは別に教師のことではない。ある茶道家のことを示して脇坂は言ったのである。茶道なのだから師匠というべきかもしれないが、鱗田たちはその人物にお茶を習っているわけではない。

「姉が言ってたんですけどね、冷えとり靴下っていうのがあるんですよ。こう、靴下を重ねて履くんです。二枚三枚じゃないんですよ。四、五枚は重ねちゃうみたいですね。重なることで空気の層ができるから、それで暖かくなるのかな？　一番下をシルクの靴下にするのが重要で、五本指ソックスだともっといいみたいです。昔から頭寒足熱っていうじゃないですか、足元を温めるのはすごく大事なんですよ。血行が悪くなって冷えると、肌もくすんだりしますからね。ただ問題は五枚も靴下履いちゃったら革靴履けないんですよ。女性はそれ用の靴が選べるからいいけど。クロックスとかビルケンシュトックとか可愛いし。でも僕はスーツ着なきゃいけないから、そうするとどうしても革靴でしょう？　サイズ上げるっていっても……ウロさん聞いてますか？」

「おう。聞いてない」

鱗田はたまたま手近にあった週刊誌を、テーブルの上に広げ、パラパラとめくっていた。芸能人について書かれた記事は、鱗田にはほとんどわからない。裸に近い女の子のグラビアページが出てきて、慌てて何枚かまとめてめくる。脇坂は顔色を変えることもなく「むっ、今の子、オッパイ増量してますね」などと言った。豊胸手術をしている、という意味だろう。

脇坂洋二《ようじ》。

鱗田の相棒である。なんの相棒か。べつに漫才コンビを組んでいるわけではない。鱗田は刑事であり、脇坂もまた刑事だ。歳は二十歳近く離れているし、性格もまったく違う。初めのうちはこの男と一緒で仕事になるのかと案じていた鱗田だったが、なんのかので、もう一年が経とうとしている。脇坂は相変わらず掴み所のない若者だが、それでも刑事としての成長は見せていた。鱗田の指導の賜物……と言いたいところだが、実際は例の先生による影響が大きいのだろう。

「あ、川崎《かわさき》市の事件のってますね」

脇坂が雑誌を覗《のぞ》き込んできた。

川崎市幼女誘拐事件――先月の半ば川崎市で五歳の女の子が突然消えた事件である。誘拐といっても脅迫状が届いたわけではない。交通事故の形跡もなく目撃情報もほとんどなかった。

捜査を進めていた警察はひとりの被疑者に行き当たったのだが、そこからが変わった展開となった。

記事のみだしは『妖人《ようじん》ヤマンバから娘を救え！　母の愛が勝利した瞬間！』とある。添えられた写真が強烈だ。血まみれの顔をした母親が必死の形相で娘を抱えて、妖人とされている被疑者宅から逃げ出してきた、その瞬間なのだ。

「すっごい写真ですよね。誰が撮ったんでしたっけ？」

「たまたま近所の住人が通りかかったようだな」

「まさか被疑者宅に乗り込んでいくとは……驚きました。怖くなかったのかなあ」

「被疑者も女性だったからな。子供の父親の昔の部下で、仕事の失敗で地方に飛ばされたらしい。それを恨んでの犯行とあるが……」

どうも据わりが悪い。鱗田はそう思っていたのだが口にはしなかった。子供は無事で、もう解決したのだし、なにより神奈川県警の仕事だ。鱗田は警視庁の所属、つまり東京都の刑事である。

「女の子が無事に戻れたのは本当によかったけど、マスコミのその扱いかたはどうかと思います。美談だからネタにしやすいんでしょうけどね。だいたい、《山姥《やまんば》》なんていないんだし……」

「いないのか」

「はい。先生がそう言ってました」

ならば間違いなくいないのだろう。妖人《山姥》は存在しないのだ。マスコミが、存在しない妖人を、いるかのように書き立てるのは今に始まったことではない。由々しき問題だが、なかなか改善されないのには理由がある。妖人という存在そのものが、いまだ曖昧《あいまい》だからだ。

妖人。人であり、人とは違う存在。

塩基配列のわずかな違いにより、一部の学者は、妖人は生物学的にヒトとはいえないと主張している。生物学的にどうあろうと、人と同じ権利を与えるべきだと主張する学者もいる。妖人DNAの発見は、今から約八年前だが、急に現れたわけではない。彼らは以前から存在し、人間社会の中で人として生きてきた。人間が遺伝子の謎を解明しなければ、妖人を発見することもなかったのだ。

人に紛れて暮らしてきたのだから、妖人と人に大きな違いはない。両者のあいだで婚姻もできるし、子供も生まれる。ただし、両親の片方だけが妖人だった場合、妖人DNAが子供に出現する割合は低いといわれている。もっとも、研究は始まったばかりな上に、サンプルが少ないので、まだまだわからないことが多いのだ。

妖人の一部には、特別な能力を持つ者がいる。

能力というより特性というべきだろう。例えば鱗田の身近なところだと妖人《小豆とぎ《あずき》》がいる。小豆をとぐことによって脳内に快楽物質が生み出される特性を持つ。なので、彼はとても嬉《うれ》しそうに小豆をとぐ。

といでどうするのか。どうもしない。

そのまま捨ててしまうのはもったいないので、小豆は料理される。多くの場合は菓子となる。おはぎに大福にようかん。鱗田もずいぶんごちそうになった。

かくも、妖人とは無害なものだ。

中には人間よりすぐれた身体能力を持つ妖人もいるし、反社会的な性格傾向のものもいるが、その数はわずかだ。それでも人は、妖人を差別する。人はいつでも自分と違うものを恐れ、自分と似ていて少し違うものを嫌うのだ。

「山姥ってのは、アレだろ。子供を攫《さら》う妖怪だろう？」

「そういうイメージありますけど、山姥という妖怪……妖人じゃなくて妖怪ですよ？……には、土地によって多種多様な伝承があるんです。山の中に住んでいる点は共通しているんですが、人を襲う恐ろしい妖怪の時もあれば、村に降りてきて仕事を手伝ってくれたり、福を与えてくれるなんていう話もあります」

「ふむ」

先生の受け売りだということはよくわかっていたが、それでも一応頷《うなず》きながら聞いてやる。

「子供を攫うって言うイメージは、たぶんあれじゃないかな……ほら、昔の人って、暗くなる前に子供が帰ってくるように、夜になると怖い山姥が出るよとか、そういうふうに言ったらしいじゃないですか」

「言っただろうな」

「ケータイないし」

「ないな」

「GPSで追跡とかもできないし」

「できないな。ま、そんなことが簡単にできる世の中のほうが怖い気もするが」

「便利な技術には、必ずネガティブな面もあるものですよ。物事にはすべて表と裏がある……人も妖人もまた同じことです」

いきなり哲学的なことを言い出した脇坂に驚いてその顔を見ると、ニッと笑って「今の先生みたいだったでしょ！」と得意がる。

「なんだよ。驚いて損した。何か悪いもんでも食って、具合でもおかしくしたのかと思ったじゃないか」

「ひどいなあ。僕だってたまには深い発言していいじゃないですか。とにかく、子供を攫う山姥のイメージは、そういう教育的な方便のもとに生まれたんじゃないかと。それに、もともと山姥というのは山女という妖怪の一部とされていて……あ、きたきた」

「エ、お待ちどうさまで」

店主が熱々の鍋《なべ》焼《や》きうどんをふたつ運んできた。蓋《ふた》がついているので、まだ中は見えない。

「いるかな？　海老天《えびてん》ちゃん、いるかな？」

脇坂が子供みたいな顔で蓋を開ける。出汁《だし》のいい香りがふわりと立ち上る。湯気の向こうで脇坂が「いたっ」と嬉しそうな声を上げ、だが次の瞬間、「あれ？」という言葉に変わった。

鱗田も自分の鍋焼きうどんを見る。ある。天ぷらはある。だが海老天ではない。なぜならば尻尾《しっぽ》がないからだ。この、いわば板状の形をした天ぷらは……。

「イカだ……」

鱗田が味見をするまでもなく、脇坂がすでに齧《かじ》っていた。

「イカ……イカか……惜しい。惜しいなあ……」

「いや、惜しくはないだろ。イカと海老は全然違うだろ」

割り箸《ばし》を手にした鱗田がそう指摘すると、脇坂はちょっと泣きそうな顔をして「そんなことわかってますよ」と睨《にら》んでくる。

「こんなこと言ったら、ここにいるイカさんが気を悪くするかもしれないけど、僕はイカと海老だったら海老のほうが全然好きなんです。だって海老のほうがダシが出るし、高級感があるし。でも、今ここにあるのはイカなんだからしょうがないじゃないですか。イカで納得するしかないじゃないですか。同じ海の仲間として認めてあげるしかないわけですよ。考えてみたら都心のこの場所で、海老の入った鍋焼きうどん食べようと思ったら千二百円は出さないと。消費税込みで千円なんだから、イカでもしょうがないですよ。こうやって僕は人生を学んで、大人になっていくんです……」

なにやら懊悩《おうのう》しながら脇坂が語る。鱗田はそれをろくに聞きもせず、テレビのリモコンを手にした。ニュースでも見ようかなと思ったのだ。まだ盛んに湯気を立てているうどんをフウフウしながら、主電源のスイッチを入れる。最近藪蛇庵はテレビを買い換え、なかなか大きなモニターが壁ぎわに設置されている。店主いわくはめ込み型にしたかったらしいが、壁の耐久性に問題があると言われたそうだ。

最初に映ったのは民放だった。午後の情報番組である。

「はあ、海老天食べたかったなあ。なら天ぷら屋に行って好きなだけ海老天頼めよって話ですが、鍋焼きうどんに入っている海老って特別なんですよね。なんて言うかこう、主役感ハンパないっていうか。そりゃあ天ぷら屋さんでも海老天は主役になり得ますけど、これが鍋焼きうどんの中に入るとすでに王様ですよ。キングです。女子海老だったらクイーン……ねえねえ、ウロさん聞いてます？」

聞いていなかった。

先程のように聞いてないという返事すらできないほどに聞いていなかった。鱗田は割り箸に絡ませたうどんもそのままに、固まっていた。嘘だろおいと、自分の中で声がする。テレビに映っているものが信じられない。

「ウロさん？」

脇坂が怪訝《けげん》な顔をして振り返る。テレビが背中側なのだ。顎《あご》を少し上げて画面を確認し「ひっ」と小さく叫んで息を呑《の》んだ。

にっこりとカメラに向かって笑う男。

艶《つや》やかな漆黒の髪、左目は長い前髪で隠されている。それでもその男が大変な美貌《びぼう》であることは一目瞭然《りょうぜん》だ。細面で首が長く、優美な佇《たたず》まいだが脆弱《ぜいじゃく》ではない。目線はしっかりさだまり、声にも張りがある。今は司会者に紹介され、簡単な挨拶《あいさつ》を述べているところだ。その肩書きは『茶道家・妖人《ようじん》研究家』となっていた。

鱗田は動けない。脇坂もまた、振り返った時と同じ姿勢のままでテレビを凝視している。番組がコマーシャルに入ると、脇坂はやっと身体の向きを戻す。まるで油の切れた、古いロボットのようにぎこちない動きだ。

「すっ」

テレビを指さして脇坂が言う。

「スーツ着てました！」

そこかよ、と鱗田は眉《まゆ》を寄せた。

「せ、先生がスーツを！　ネクタイを！　っていうか先生スーツ持ってたんですねっ。いや、もしかして夷《えびす》さんのを借りたのかなっ。いつも和装なのに、なんでスーツを！　しかもすんごい似合ってる！　もしかしてもしかすると、僕より似合ってるかもしれないです！」

「もしかしなくても、おまえより似合ってたよ」

「ひどい」

「ひどくない。それよりおまえ、驚くポイントが違うだろうが」

鱗田の言葉に脇坂はカクカクと頷き「はい、わかってます」と認めた。

「あまりに驚きすぎて、ポイントがずれてしまいました。だって先生がテレビに出てるんですよ？　ネット時代で影響力がだいぶ減ったとはいえテレビですよ。ものすごい人数が見てるわけですよ。そのテレビに先生が！　いつも不機嫌で毒舌で馬鹿と蝦蛄《しゃこ》は死ぬほど嫌いなはずの、先生が！」

そう、ついでに言えば、かの先生は妖人について無責任に胡乱《うろん》な情報を流すあの手の情報番組も大嫌いなはずだ。

「あっ、CMあけた」

脇坂がまたテレビのほうを向く。ふたりとも、もはや鍋焼きうどんどころではない。

画面には、『特集！　母の愛による救出劇！　子供を攫う、恐ろしい妖人ヤマンバの正体に迫る……！』と見出しが出た。その瞬間、このあとの流れが容易に目に浮かび、鱗田はゆるく首を横に振る。

『さて、今日の特集は、あの恐ろしい誘拐事件についてです』

いつも軽い調子の司会者が、いくらかは深刻な声を演出して喋《しゃべ》る。

『事件は川崎市の住宅街で起こりました。誘拐されたのは星希良々《ほしきらら》ちゃん、五歳。三日後、希良々ちゃんは、母である星真由美《まゆみ》さんの勇敢な行動によって、無事犯人宅から救出されています。本当によかったですよね、くるみちゃん』

指名された若い女のタレントが『ホントですぅ』とテテラした唇を尖《とが》らせて言った。『お母さん、すっごい勇気あるなって感動しちゃいましたぁ。だってあんなに大怪我して、すごい血を流して、それでも我が子を助けるなんてぇ』

『まさしく母の愛です』

司会者が深く頷《うなず》いて、もっともらしい声を出す。

『でも、安心してください。お母さんの怪我は大したことないそうです。この写真でみなさん驚かれたと思うんですが、顔の下のほうが赤くなってるのは、ほとんど鼻血とのことです。あとは、捻挫《ねんざ》と打撲という報道が出ていますね』

『ということは、鼻血が出るほどの乱闘があったということですよね』

今度は男のタレントが言った。鱗田は芸能界には疎いので誰なのかよく知らないが、コマーシャルで見かけたことがある気がする。

『そのあたりは明らかにされてないのですが、そういう可能性も大きいですねえ。なにしろ相手はヤマンバです。こんな妖怪ですよ、みなさん』

司会者がフリップを手にした。そこにはおそらく漫画か何かを基にした、わざとらしい出来映えのCG写真がある。白髪を振り乱し、目を充血させ、牙《きば》をむいた老女の恐ろしい顔……もちろん実在しているはずはなく、あくまでもイメージというやつだ。実際、画面の端に小さく※イメージ画像です。という注釈が入っている。これを入れればなにを映しても許されると思っているのだろうか。

『まあ、これは想像上の妖怪・ヤマンバなわけですが。今回は、妖人としての《山姥《やまんば》》についてです。《山姥》が危険性のある妖人ならば、私たちはどうやって身を守ったらいいのでしょうか。とくに子供たちが心配です。《山姥》に誘拐されないようにするには、具体的になにに気をつければいいのでしょう？　ここにいらっしゃる超イケメンの専門家が教えてくださいます。洗足《せんぞく》伊織《いおり》先生です』

カメラが洗足を捉《とら》えると、スタジオに拍手が起きた。

別のカメラが、洗足を見つめてぽうっとした顔になっているアイドルタレントのアップを撮《うつ》す。画像が再び洗足に戻ると、カメラ目線になった洗足はとくに挨拶の言葉を口にすることもなく、ただにっこりと笑ってみせた。脇坂が「うぅ」とうなるのが聞こえる。鱗田からは後頭部しか見えないが、おそらく心中で、芸能人より格好いい……とでも思っているのだろう。その点は鱗田も異論はない。際立った容貌という点だけで言えば、洗足はテレビに出ていてもなんの違和感もないレベルにある。

だが、浮いている。

明確に異質である。

いつもの和装ではなく、おそらくは周囲に合わせてスーツなど着ているのだが、それでも洗足の存在は周囲のタレントやコメンテーターたちと同一とは言えない。雰囲気が違う、で片づけてしまえばそれまでなのだが——洗足の纏《まと》うその空気の正体が、鱗田はずっと気になっている。

『洗足先生、今日はお越しいただきありがとうございます』

洗足は司会者の言葉に頷くだけで、まだ言葉を発しない。

『先生は茶道家でいらっしゃいますが、本日は妖人研究家として、お招きしています。なんと、警視庁の妖人対策本部にも協力されている方です。では早速なのですが《山姥》という妖人について基本的なところからお聞かせ願えますか？』

『基本？』

やっと洗足が喋った。スピーカーから流れ出る声は、普段の生で聞く声とやはり少し違う。

『はい、基本から』

洗足がまた微笑み、パチンと音がした。脇坂が「あ、スーツなのに扇子持ってる」と呟《つぶや》く。そう、パチンというのは少しだけ開いた扇子を閉じる時の音だ。多くの場合、この音は洗足がいらついている時に聞かれる。

始まるぞ、と鱗田は身構えた。脇坂の背中も緊張しているのがわかる。

『いませんよ』

洗足の答えに、おそらくは国民的な人気があるのであろう司会者がキョトンとした顔をした。

『いない？』

『ええ、《山姥》という妖人はいません』

『えーと……いや、でも実際、希良々ちゃんを誘拐した野尻弥生《のじりやよい》は妖人で……』

『希良々ちゃんを誘拐したと思われる被疑者の野尻弥生さん、でしょう。まだ起訴されてないんだから』

『あ、はい。それはそうですが。どっちにしても野尻さん妖人なんですよね？』

『ええ。妖人判定は陽性ですね。だが調べたところによると、本人は山姥という申告はしていません。あの事件の直後から、マスコミが勝手に決めつけただけです。百歩譲って本人がそう申告したとしていても、《山姥》という妖人は存在しませんから』

スタジオ内がざわつくのがわかる。どうやら明らかにリハーサルと違う流れになっているらしい。確かこれは生放送の番組だ。

『存在しないって……なぜ洗足さんに、そんなことがわかるんですか？』

『専門家だからですよ。だから私をここに呼んだんでしょう？　あなたがた』

『それは……ええと、ではいったい野尻さんは……』

洗足はじろりと司会者を睨《にら》んで『ですから、ただの妖人です』と答える。

『みなさんがただの人間であるかのように、彼女もただの妖人です。ま、あなたがたの中にも妖人がまざっているかもしれないわけですが、それは置いといて。いいですか？　その無駄な情報ばっかり詰まっている頭の中に多少のスペースを作って、私の言うことをよく聞いてくださいよ？　妖人のほとんどは特殊な能力や特別な性格傾向を持たない、ただの妖人です。ただの妖人ですから、いわゆる妖人属性は特定できません』

きっぱりと洗足は言いきる。

『野尻さんの場合も属性は不明です。八割がたの妖人《ようじん》は属性不明なんです。なのになぜ、勝手にいもしない《山姥》などに仕立て上げるんです？』

『でも……妖人台帳に……』

『それだ。妖人台帳。それこそが諸悪の根源と言えます。馬鹿で間抜けな給料泥棒の……ああ、失礼、理解力不足で浅はかで偏見に満ち、対価分の働きをしているとはとうてい思えない政治家とお役人の作った、妖人台帳。あんなもの必要ないんですよ。定義づけもなければルールもない、乱暴で主観的なカテゴライズの行く先は、すなわち差別に他なりません』

　立て板に水の能弁に、司会者の口はポカンと開いたままである。だがコメンテーターの中のひとり、どこぞの大学教授か何かが『いや、それは違う』と声を上げた。カメラが、口ひげの教授を撮す。

『人は無意識のうちに自分をどこかにカテゴライズしたいと思っているものなんだ。どこかに属していないと安心できないのが人というものなんだよ。だから妖人の中にも、こんなことを言う人がいる……自分が《河童《かっぱ》》だとわかってむしろ安心した、と。どこか他人と違っていることが不安でしょうがなかったが、その理由がはっきりしたので、今はありのままの自分を受け入れられると』

　洗足が大学教授をろくに見もせず『もっともなご意見です』と答える。続けて、

『要するにアイデンティティの問題というわけですね。個人の中に、自分の正体を知りたいと言う欲求があるということは認めます。ですが、今お話ししているのは、台帳で管理される属性についてです。役所だの警察だの国だのという組織が、個人のアイデンティティを固定したがるのが問題だと言ってるんです』

『あの、でも、だけど、実際妖人による犯罪が起きてるわけだしぃ』

アイドルタレントの舌足らずな発言に、洗足は片眉《かたまゆ》をヒョイと上げた。

『だからなんだって言うんです？　犯罪は起きてますよ。毎日誰かが起こしている。それが妖人であろうと人間であろうと、ひとたび罪を犯せば履歴は警察によって管理されます。それで充分でしょう。なぜ妖人だけが妖人属性という、アイデンティティに関わる非常にプライベートな部分を、犯罪者でもないのに情報提供し、管理されなければならないんですか？』

『それは……だって、このあいだその教授さんが、妖人は罪を犯す傾向があるって言ってたし……みんなの安全のために、管理されてもしょうがないんじゃ……』

アイドルは学校の先生に叱られた生徒のような顔になり、それでもブツブツと反論する。なにも言えないで目をぱちくりさせている他の出演者に比べれば、自分で必死に考えているぶんまともなように見えた。

『なるほど、あなたは人々の安全に関して懸念しているのですね。その考え自体は大変に素晴らしいことです』

洗足に褒められ、アイドルは嬉《うれ》しそうに頬を染めた。

『だが気をつけなさい。その立派な考えも、権威主義で薄らバカな大人たちによって、ねじ曲がったものにされてしまう。いいですか、よく聞いてください。妖人による犯罪が、妖人ではない人間の犯罪率より高いなどというデータはありません。もしあったとしたらそれはねつ造されたか、データとは言えない主観的な想像にすぎない。考えてもご覧なさい。妖人の人口はわかっていないのですよ？　観測対象となるものの数がわからないのにどうやってデータを得るんです？』

まだ十八かそこらのアイドルは『あ、そっか』と呟いた。そして二秒ほどしたあとに、長い睫《まつげ》に縁取られた大きな目を洗足に向けて聞く。

『それじゃなんで、妖人を怖がってる人が多いんですか？』

『そういうふうに情報操作されているからです』

『誰が情報操作してるんですか』

『まずはマスコミですね。ここにいる人たちのような。そして番組制作の資金を出しているスポンサーも関わっている。当然ながら政……』

突然音声が途切れた。脇坂が「いいところなのに！」ともどかしそうな声を上げる。数秒して番組はコマーシャルに切り替わった。生放送の現場は今どんなことになっているのかを想像すると、鱗田の口元はどうしてもニヤニヤしてしまう。

脇坂がやっと身体の向きを元に戻した。

「ああ、びっくりした。びっくりしすぎて、鼻からうどんが出るかと思いましたよ。うどん食べる前で本当によかった。冷めちゃう冷めちゃう、早く食べなくちゃ。イカ天硬くなっちゃう」

そう言いながら、つるつるとうどんをすすり始める。鱗田も自分の鍋焼《なべや》きうどんを食べながら「CM明け、先生はいないだろうな」と言った。

「そりゃそうですよ。今頃現場を仕切ってる人は先生を叱ろうとして、逆に叱り飛ばされてます。目に浮かぶようです」

編集のきかない生放送で、言いたいことを言い、追い出されてさっさ帰る……すべて、洗足の計画通りなのだ。これで二度と出演できなくなっても、洗足には痛くも痒《かゆ》くもない。もともとテレビ出演などしたくはなかったはずだ。

「リハーサルでは、しれっとした顔で相手に都合のいい事を言ってたんだろうなあ」

「人を騙《だま》すのうまそうですもんね、先生」

「あの事件について、マスコミがあまりいい加減な事を垂れ流すもんだから……我慢ならなくなったんだろうよ。ま、気持ちはわかる」

「ですね。それにしても先生のスーツですよ。あれどこで買ったんだろう。吊《つ》るしって感じじゃないよな。ちゃんとオーダーで作ったんだろうなあ。座ってたからよくわからなかったけど、細身でブリティッシュスタイルって感じでしたよね。ネクタイの色も絶妙でした。あ、もしかしてスタイリストさんついたりしたのかな、テレビだし」

「服のことなんかどうでもいいだろ」

「どうでもよくないですよ。人間は裸じゃ生きていけないんだから。で、ウロさん、いつ行きます？」

「どこへ」

本当はわかっていたのだが、一応聞いてみる。すると脇坂のほうも鱗田がわかっていることをわかっていたようで、刑事のくせに甘ったるい王子様顔をにやりとさせ、

「決まってるじゃないですか。妖琦庵《ようきあん》ですよ」

と答えた。

※

「母親というのは、存外、難しいものだよ」

しみじみと、言っていた。

それは私に聞かせるというより、自分に向かって呟《つぶや》いているようでもあった。当時の私は七つかそこらだ。いくらかませた子供ではあったが、大人の話を完全に理解するにはさすがに幼すぎた。

「母性本能なんてのはね、あれはないね。幻想だよ。もちろん自分の子供は可愛いさ。でも可愛くない時だってある。自分の命に代えても、この子を守りたいと思う。でもあんまり泣く時はひっぱたきたくもなる。絶対に手放したくないと思うし、いなくなればいいとも思う。両方とも本当の気持ちで、嘘じゃないんだ。母親は命がけで子供を産む。だから思い入れが強い。それは本当さ。ただ、その思い入れの強さが裏目に出ちまうこともある」

掛物の手入れをしながら、話は続いた。

天気は良好、風は僅《わず》か。虫干しにはよい日だったと記憶している。丁寧に広げられた掛物は、座敷の畳の上にずらりと並べられていった。日当たりのよい場所は避ける。和紙はいたく繊細だから、直接日に当ててはいけないのだ。

だから私は、ぽかりとあいた、お日様のあたる半畳に立っていた。白っぽい光の中、そこだけが別世界のようで、少し不思議な心持ちだった。

「考えてみれば不思議なもんだ、間違いなく自分から生まれたのに、その子は自分じゃないんだよ。自分の分身でもない。あくまで別の人間なんだ。だけどね……」

ふう、と息をつく音。すべての掛物を並べ終え、全体を見渡して確認した。それから私とともに濡《ぬ》れ縁に出て座る。縁側は全体に陽が当たっていて暖かい。季節はいつ頃だったろう。春だったか、秋だったか。

「まるで自分のもののように思える時があるんだよ。自分が産んだのだから自分のものだと思ってしまうんだ。もっともそれぐらい強い思い入れがないと、赤ん坊の世話を続けるのは難しいからね。なかなか大変なんだよ、あれは」

私を見てニコリと笑う。その美しい笑みが、私はたいそう好きだった。私の時も大変だったのかと聞くと、「大変だったさ」とますます笑った。

「とにかく難産だったし、やっと出てきたと思ったら、おまえはぜんぜん泣かないし。産まれたての赤ん坊が泣かないのは、息をしてないってことだからねえ。あたしがどれだけ焦ったことか……。ま、産婆さんがお尻《しり》を何度か叩《たた》いたら、おぎゃあと元気よく泣き出したけどね」

その人の両手が架空の赤ん坊を抱くような恰好《かっこう》をする。そっと胸に抱き、見えない小さな頭に頰を寄せる。嬉しかったよ、と歌うように告げる。

「とにかく」

見えない赤ん坊を、こちらにポンと手渡す仕草をして立ち上がった。私は架空の赤ん坊を持てあまし、少し慌てた。

「子供を産んだら誰でも立派な母親になれるってわけじゃない。失敗もするし、間違いもする。正しいやり方なんてないんだ。千人の母親と千人の赤ん坊、そして千とおりのやり方がある。国や時代によってもやり方が違う。中にはどうしても自分の子供を愛せない母親もいる。残念なことだけれど、どうしてもだめならしょうがないじゃないか。子供が幸せになれる他の方法を探すしかない」

自分の子なのにどうして愛せないの……そんなふうに聞いた記憶がある。すると庭を眺めながら、尖《とが》った顎《あご》を少し上げて「たまたまそうなのさ」と答えた。

「なにか原因があるのかもしれない。ないのかもしれない。あったとしても、なぜそういうことになったのかを考えたら、それはきっとたまたまなんだ。偶然とか運命とかいろんな言葉があるけど、当人以外が深刻ぶるのもおかしな話だろう？　だからいいのさ、たまたまそういう人なんだ。仕方ないことなんだ。一番いい方法がないのなら、二番目にいい方法を探せばいい」

母親に愛されなかった子供が、二番目に幸せになる方法。

それがどんな方法なのか。当時の私にはわからなかった。ただ、自分は愛されていてよかったと、心から思った。

「逆に子供を愛しすぎちまう母親もいる」

　穏やかな風に揺れる黒髪を、私はうっとりと眺めた。

「過ぎたるはなお及ばざるがごとし。なんでもほどほどがいいんだが、人の心はそうもいかないねえ。とくに愛情はコントロールしにくい。まして母の愛ってのは世間的に善しとされているものだからね。母親が自分の子供を愛するのに遠慮は要らないし、深く考えることもないだろう。それだけに、その暴走を止めるのは難しいんだよ」

　愛しすぎる、の意味がよくわからなかった。愛はよいものなのだから、それはたくさんあっていいのではないか。子供は愛されるほどに幸せなのではないかと、私は問いかけてみた。

「そうでもない」

　少し悲しそうな返答だった。

「愛しすぎると、子供を壊してしまう。赤ん坊の頃、子供は自分と母親の区別がはっきりついていないんだ。自我というものがまだないからね。けれど成長するにつれ、子供に自我が生まれる。自分と母親は別々の存在だとわかってくる。母親も少しずつ子供の自我を認めていかなければならない。……少し難しいかね？」

　微笑みが私を見下ろした。私は難しくない、と言い張ったような気がする。本当のところはどうだったのか——きちんとわかっていたはずもないが、親と子供が別々のものだというのは、理解できていたかもしれない。

「そうかい。おまえはなかなか賢いね。まあ、そんなふうに子供は成長していく。けれど母親のほうに『この子は私のものだ』という気持ちが強いと、その成長がうまくいかなくなる。『子供の気持ち』と『母親の要求』にズレが生じて、子供は混乱する。……そうさね、例えばおまえは外で遊びたい。今日はいい天気だからね。けれどあたしはだめだという。外は危険だからと。おまえはどうする？」

私はしばらく考えた。そして、危なくない場所で遊ぶようにする、と答えた。すると少し意地悪な笑みで、続けて聞かれた。

「この世の中に危険じゃない場所なんてない、どこもかしこもすべて危険、安全なのは家の中だけ……とあたしが言ったら？」

これには困ってしまい、私は口を閉ざした。母親の言葉を無視して外にいくのはよくないことに思えたし、かといって永遠に外で遊べないのもいやだ。

「困るだろう？　子供はたいがい母親が大好きだからね、母親の意見に逆らうのは難しい。まして母親が悲しそうな顔をすると、自分の気持ちを殺して母親に従おうとする。母親は無意識のうちにそれを知っていて、子供を自分の意のままにしようとする。もちろん悪気はないよ。愛しているからそうしようとする。愛しすぎて、卵の中で生まれたひよこが外に出るのを嫌がる。ひよこは必死に、内側から殻をつつき、外に出ようとするのに、母親は卵のヒビに外からテープを貼ってしまうのさ」

それでは、ひよこは永遠に卵の外に出られない。

閉じ込められたひよこはどうなってしまうのだろうか。卵の中でそのまま腐ってしまうのではないか。とても暖かいけれど、暗く狭い卵の内側で腐っていくひよこ。それを想像したら悲しくなってしまい、涙が滲《にじ》んできた。そんな私を、優しくて力強い腕が引き寄せた。

「どうしたい。ひよこの気持ちになってしまった？　優しい子だね。おまえが優しい子であたしは嬉《うれ》しいよ」

白い手が私の髪を撫《な》でてくれる。その手はいつでも少し冷たかったけれども、そんなところすら私は好きだった。

「……あのひよこを、助けてあげたいねえ」

呟くような小さな声。

私はその人の腕の中で顔をあげて、誰のこと、と聞いた。

「少しばかり縁のある子さ。少しでもないかね……おまえとあまり変わらない年頃だ。このあいだの旅で見たんだが……あまりいい状況とは言えなかった」

助けてあげればいいのに、と私は言った。

ほんとにねぇ、とその人は答えた。

「でもね、なかなか難しいことなんだよ。あくまで人様の家のことだしね。あたしはおせっかいなたちだから、つい口を挟みたくなってよくないけど……ああ、でも、誰かが手を差しのべなければ、あの子はあのまま……」

そんなふうに悩むのは珍しいことだったので、よほど困難な事案だったのだろう。けれどきっと解決策は見つかると、私は信じていた。どんな難しいことでも、この人ならば解決してしまうに違いないと信じきっていた。もちろんそれも、子供に特有の錯覚だったのだが。

風が強くなった。

冷えてきたね、と小さな呟《つぶや》きが聞こえた。季節は秋だったのかもしれない。そういえば秋明菊の淡い紫が揺れていたようにも思う。

涙はもう乾いていたけれど、もう少し甘えたくて、私は小さく鼻をクスンといわせてみた。

※

遊びに行きたい？

お友達と？

そうね、お友達とつきあうのも大事なことね。お友達は大切にしなくちゃね。もちろんだめじゃないわ。あなたが行きたいなら行っていいのよ。だけど宿題はしたのかしら。した？　読書感想文？　もう終わっているのね。お母さんに見せてちょうだい？　ああ、これね……うん……よく書けているけど、最後が少し違うんじゃないかしら。この本を書いた人は、本当にそんなことを言いたかったのかしら。もう少し、深い意味があるとお母さんは思うのよ。……わからない？　わからないのは、ちゃんと読んでないからじゃないの？　じゃあこうしましょう。もう一度、一緒に読んでみましょう。そうしたら、主人公がどれだけ心の立派な人か、よくわかるわ。この主人公には嘘がないの。素晴らしい人ね……きっと天帝様も感心なさるわ。さあ、本を出して。ここに置いて。声に出して読んでみましょう。そうよ、今すぐによ。お母さんが夕ご飯を作る前に、感想文を仕上げてしまいましょう。

どうしたの？

なにを泣いているの？

お母さん、あなたを泣かせるようなことしたかしら？

そんなに本を読むのがいやなの？　困った子ね。泣くのはやめなさい。友達が待ってる？　そうね、お友達との約束は守らなくちゃいけないわね。わかったわ、お母さんがそのお友達の家に電話してあげるから。一緒に遊べなくなっちゃったけどごめんなさいって、お友達のママに伝えてあげるから。そしたらあなたは安心して感想文が書けるでしょう。お母さんと一緒にお家《うち》にいられるでしょう。

どうしたの？　どうして泣きやまないの？

お母さんがこんなにあなたを思ってるのに、分かってくれないの？　あなたがそんなに泣くと、こっちまでつらくなってしまう。私に悲しい思いをさせて、あなた楽しいの？　そうじゃないわよね。あなたはいい子なんだから、そんなこと思うはずがない。

ええ、わかっているわ。大丈夫、わかっているわ。

あなたは私の娘だもの。大事な娘だもの。お母さんはあなたさえいればいいの。お父さんなんか帰ってこなくったって平気よ。お父さんにはきっと罰が当たるわよ。天帝様に報告されてしまうんだから。

お母さんは平気。

あなたさえいれば、大丈夫。

二

「え。風邪」

脇坂が、もともとパッチリした目を、なお見開いて言った。あまり刑事らしくない刑事の前にお茶を置きながら、マメは「そうなんです」と答える。

「もともと少し風邪気味だったところに、テレビ出演の依頼があって……先生、すごく疲れた様子で帰ってらしたんです。その晩から、調子が悪くなって」

「そうなんですか。風邪。先生が風邪。あの先生が……。ええと、こういうのなんていうんでしたっけ、鬼の……鬼の……鬼の……攪拌《かくはん》？」

「うちの先生をかき混ぜてどうするんですか。それを言うなら、鬼の霍乱《かくらん》でしょう」

夷《えびす》が呆《あき》れた口調で指摘し、脇坂はポンと手を叩《たた》いて「それです。かくらんかくらん」と返す。ことさら恥ずかしがる様子もなく、あっけらかんとしていて、けれどマメは脇坂のそういうところが好きだった。

「うちの先生、ああ見えてあんまり丈夫じゃないんですよ。夏バテはしないんですが、冬は苦手なようですね。かなり寒がりですし」

夷の言葉に、マメも「そうそう、先生は炬燵《こたつ》をしまう時期になるとすごく悲しそうな顔をするんですよね」と同意した。

今年も、せつなそうな洗足の顔を見つつ、つい先日炬燵を片づけたのだ。

炬燵がしまわれると、座卓が出される。今日座卓を囲んでいるのは、脇坂、夷、そして紅一点の小久保《こくぼ》スミレだ。座卓の上には、人数分のお茶と、スミレの手土産である豆かんと、脇坂の手土産であるドライフルーツの詰め合わせが載っていた。

さらに、中央にはあんこのたっぷり入った丼《どんぶり》がドンと鎮座している。これで各自、好きなだけあんこを豆かんに入れて食べるのだ。ちなみに豆かんとは、豆の缶詰のことではなく、寒天の上にえんどう豆が載った和菓子である。要するにみつ豆からフルーツや求肥《ぎゅうひ》を除いて、豆だけ残した状態だ。通常、黒蜜《くろみつ》をかけて食べる。

「わあ、ここの豆かん美味《おい》しいですねえ。豆がふっくら炊けてて、寒天の硬さも絶妙。さすがスミレさんです」

「嬉しい。脇坂さんにそう言ってもらえると自信つくわ～」

スミレは豆かんを飲むように食べながら言った。豆かんは一人前ずつの小ぶりな容器に入っていて、スミレの前にだけは五つ並んでいる。これでも彼女にとっては、おやつにもならない量なのだろう。せめてあんこでかさ増ししようと、ドサドサ入れている。

自作のあんこが気持ちよく消費されていく様を、マメはうっとり眺めていた。

「なにしろ脇坂さんは、警視庁イチのスイーツ男子だもんね！」

「いやいや、そんなあ」

照れる脇坂に夷が「そこ、喜ぶところですか？」と釘《くぎ》を刺す。洗足が不在だと、夷がその代役となるようだ。

座卓は四辺で、人数は四人。ちょうどではある。もし洗足がいれば当然、脇坂は部屋の隅にでも座っていろと言われ、でもマメが自分のスペースを半分提供し、ちょっと狭いけれど、それはそれで楽しいと思うし……やっぱりこの家の主《あるじ》である洗足がいないのはさみしい。家の一番奥にある寝室にはいるのだが、静かに寝かせてあげるようにと夷に言われている。

洗足伊織。

この家の主であり、妖琦庵の亭主であり、マメにとっては家族でもある人だ。

もっとも、血縁はない。その点は夷も同様で、血縁はないが家令として洗足に仕えている。最近知ったのだが、こういった形態を疑似家族などというらしい。疑似、とつくのはなんとなく悲しいなとマメは思う。少なくともマメにとって、洗足と夷は、本物の家族以上に家族なのだから。

家族ではないものの、この家に集う三人には共通点がある。

三人ともが妖人《ようじん》であり、それぞれ属性を持つ。マメは《小豆とぎ《あずき》》、夷は《管狐《くだぎつね》》、そして洗足は……中でも特別な存在だ。だからこそその属性について、迂闊《うかつ》に語るべきではないと、夷から言い含められている。

客人としてここにいるスミレも、妖人だ。

《二口女《ふたくちおんな》》……一般の人に浮かぶイメージは、頭の後ろに隠されたもうひとつの口がある、大量の食べ物を貪《むさぼ》り食う妖怪だろう。もちろん、スミレはそんな恐ろしい妖怪ではない。妖人《二口女》は大量の食物を摂取しないと、脳内に不安を感じる物質が発生してしまうという特徴を持っている。また、なみはずれた消化能力を持っており、人の十倍食べても太ることはない。大食い選手権に出たら優勝間違いなしなのだが、スミレは「妖人としての特性で大食い勝負をするのは卑怯《ひきょう》」と言って、現在はフードライターとして活躍中だ。一日中食べ歩いていても、ちっともヘコたれない胃袋を持つスミレなのだから、まさに適職といえる。

「スミレさんはいつも美味しいものを持ってきてくれるので、僕、嬉《うれ》しいです」

「ありがとう、マメくん。私がこの仕事を始めることができたのも、先生のおかげよ。早く風邪が治るといいんだけど……」

スミレの異常な食欲を《二口女》の特徴であると指摘したのは洗足だった。自分の正体を知らず、悩み苦しんでいたスミレにとって、それは大きな助けになったようだ。

洗足は、特別な目を持っている。

一見冷ややかで、だが実は奥底に慈《いっく》しみをたたえる漆黒の瞳《ひとみ》は、妖人と人間を正確に見分けるのだ。また、妖人の場合はその属性も見破ってしまう。

「先生の風邪、そんなに悪いんですか？」

脇坂の質問に夷が「それほどでもないですよ」と答えた。

「熱も出てないし。ただ、喉《のど》が痛いらしくてね。それでも脇坂さんの顔を見たら説教したくなってしまうだろうから、やはり今は休んでいたほうがいいでしょう」

「そうですよね。先生は僕の顔を見たら、叱らずにはいられない体質ですから……」

真顔で頷《うなず》く脇坂を見て、スミレが「それは脇坂さんが、おかしなことを言うからじゃないの？ 私は遊びに来ても、そんなに叱られないわよ」と笑う。

「いや。僕はほら……仕事で色々と、先生に聞かなくちゃならないから。それでしつこくしてしまって、叱られるんですよ」

脇坂はそんな言い訳をし、言い終わってから小さく「でも、先生に叱られるのは嫌いじゃないけど」とぼそりとつけ足す。

「脇坂さんは叱られ上手ですからね」

「わあ、夷さんもそう思います？」

「いやいや、今のは軽い嫌味ですから。喜ぶところじゃないから」

「けど、先生も心おきなく叱れる相手がいないとストレスがたまるでしょうし」

どこか自慢げに言う脇坂に、夷は軽く眉《まゆ》をひそめて「まあ、最近はもうひとりいますけど」と呟《つぶや》いた。脇坂はそのもうひとりが誰なのかすぐに察して、あからさまな不機嫌顔を見せる。

「あいつ、まだ来るんですか」

「来ますね」

夷がみんなにお茶を注ぎ足しながら答えた。脇坂は口を曲げつつ腕組みをし「よくない。よくないなあ」と唸《うな》る。

「ああいう人物が、この家の敷居を跨《また》ぐのはよくないですよ」

「家の中には入れてませんよ。ただ、庭に勝手に入ってくるのは止めようがない。毎回先生にお小言を言われてますが、叱られてるのにどこか嬉しそうなのが、まるで誰かさんみたいです」

「ええっ。あんなのと一緒にしないでください」

脇坂も夷も、その男を好いてはいないのだ。実のところ、マメもちょっと苦手である。ただ、夷や洗足があまり邪険に扱っているのを見ると、気の毒に思ってしまうのも本当だ。しばらく黙って聞いていたスミレが、マメに顔を寄せて小さく「誰のこと?」と聞いた。もちろん夷がそれを聞き逃すはずもなく、

「先だっての、《人魚》の事件の時に関わりになった男です」

と説明し始めた。

「甲藤《かっとう》というのですが……先生の弟子にしてくれと言ってしつこいんですよ。一応、多少の役には立ったので、塩を撒《ま》いて追い返すわけにもいかず……」

「弟子? あ、お茶の?」

スミレは三つ目の豆かんにあんこをドカンと追加する。

「ええ。でも先生は弟子を取っていませんから」

「あいつ、茶道になんか全然興味ないくせに……。本当は、先生を主人にしたいんでしょう？」

口をとがらせて言う脇坂に夷が「まあね」と返す。

「でもそうなることはあり得ません。先生にはもう私がいますから」

夷は自信たっぷりに答え、脇坂が「ですよねー」と同意する。スミレはそんなふたりをしばしポカンとして見つめていたが、やがて「……あ、ああ、そういうことか」とやや声を張った。

「主人って、そっちの主人ですね。夷さんは《管狐》だから、主が必要なんですよね。やだー、一瞬勘違いしちゃいました私。あはは」

何をどう勘違いしたのかマメにはわからず、小首を傾げて夷を見る。夷は珍しく慌てた口調で「妙な勘違いはやめてください」とスミレから視線を外す。やっぱりマメにはわからない。あとでゆっくり聞いてみることにしようと思った。

「まあ、甲藤のことなんかどうでもいいんですよ。それより先生です。先生のスーツです。スーツを着た先生がテレビに映った時、本当に驚きましたよ、僕」

「先生だってたまには洋装しますよ。ほんとにたまに、ですが」

「かっこよかったなあ。あれ、夷さんのお見立てですか」

「まあね」

夷は得意そうだ。嬉しいと、耳がピピッと動くのをマメは知っている。

「スーツにも驚きましたけど、テレビに出ていたこと自体びっくりです。ウロさんの推測だと、例の川崎市の誘拐事件に関連して、妖人に関するいい加減な情報をばら撒き続けるマスコミに腹を据えかねたのだろうと……」

「その推測であってます」

夷が答え、マメのほうを向いて「だろう？」と促した。マメは大きく頷いて「そうなんです」と補足する。

「テレビ局から家に電話がかかってきたんです。たまたま僕がとったんですけれど、先生への出演依頼で……どうやって家の電話番号を調べたんでしょう？」

「今時は、どこから情報が漏洩《ろうえい》するかわかりませんからね。先生が妖人に詳しいということを嗅《か》ぎつけた人がいても、おかしくはないなあ。でも、先生がよく出演を了解しましたね」

「最初は断っていたんですけれど、番組が生放送だというのを知って、考えを変えたみたいです」

――利用できるものは、利用しようじゃありませんか。

洗足はそう言って、うっすら笑ったのだ。

「私とマメは、家で放映を見ながら大笑いですよ。短時間でしたが番組を乗っ取ってましたからねえ、うちの先生は」

「僕とウロさんは、驚きのあまりイカの天ぷらが入った鍋焼《なべや》きうどんの存在を忘れるくらいでしたよ……スミレさんは、観てました？」

「ネットの動画に上がってたのを見たの。すごい再生数になってたわ～。先生美形だし、あの毒舌にスカッとした人も多いみたい。まあ、変な反論してる人もいたけど。妖人《ようじん》に関わることは、どうしても論争になりやすいから……」

「あとで僕もチェックしてみます」

脇坂は真剣な顔で頷く。マメは食べ終わった豆かんの器を置いて「脇坂さん」と斜め向かいに身体を向けた。

「なんだい、マメくん」

「あの誘拐事件、動機はわかったんですか？　ヤマンバと言われてた野尻さんは、なぜ女の子を誘拐したんでしょう？」

「警察の捜査では私怨《しえん》ということになっているね。つまり個人的な恨みからの、嫌がらせかなあ。金銭は一切要求していないし……。誘拐された希良々ちゃんの父親は、野尻さんの元上司だったんだよ。野尻さんの仕事でのミスを追及して、左遷させたのを恨んだんだろう、と」

「ええと、つまり、野尻さんは希良々ちゃんのお父さんを恨んでたんですよね。なのにどうして希良々ちゃんを誘拐するんですか？」

「親にとって一番辛《つら》いのは、子供が奪われることだからじゃないかな」

「そうよね。自分がなにをされるよりつらいのかも」

スミレも脇坂の意見に同意する。マメはしばらく考えて「でも希良々ちゃんを助けに行ったの、お父さんじゃなくてお母さんでしたよね」と言った。テレビで何度も映された、血まみれの顔で我が子を抱きしめている母親……あの姿が忘れられない。

「もちろん、お父さんも助けに行きたかったんじゃないかな。でも本来は警察に任せるべきところだから……今回のは、言ってみればお母さんの暴走なんだよ。たまたま希良々ちゃんもお母さんも無事だったから美談になってるけど……下手したらふたりとも殺されてたかもしれない」

「それくらい、危険なわけですよね。でも助けに行った……必死で、無我夢中で……」

「どうしたの、マメくん。いまいち腑《ふ》に落ちないっていう顔になってるよ」

脇坂に聞かれて、マメはやや言い淀《よど》む。

「あの……こんなふうに言うの、変かもしれないんですけど……」

そんなマメに、脇坂は「マメくんが変な事を言うなら、ぜひ聞きたいな！」と笑顔で促してくれた。

妖人《小豆《あずき》とぎ》の特徴として、外見および感性の成熟が遅い、という点がある。おかげでマメはもう成人ずみなのに、せいぜい中学生にしか見えない。見た目に関しては諦《あきら》めるしかないのだが、内面だけでも大人になりたいとマメは強く思っている。それでもなかなか大人らしく冷静な考えはできず、相変わらずの泣き虫だ。

そんなマメに対し脇坂は、気遣いを見せながらも、できるだけ対等に接してくれていて、それがとても嬉《うれ》しい。

「じゃあ、言いますね。僕、ちょっと怖かったんです。あの写真……希良々ちゃんを抱えて出てくるお母さんの写真を見た時」

ぞわり、としたのだ。

顔が血で汚れていたせいだろうか。最初はそう思った。けれど、何度もメディアに現れる写真を見るうちに気がついた。そうではない。血が怖いのではない。母親のあの表情が怖いのだ。鬼気迫るほど必死な、あの顔が……。

「子供を守るために一生懸命なんだってわかってるんです。なりふり構っていられないことも。でもやっぱり怖くて……きっと僕が変なんですよね。僕、自分の両親の記憶がはっきりしてないんです。子供の頃、離ればなれになったきりだし……だからもちろん可愛がられた記憶もないし。だからこんなふうに思っちゃうのかな。親の愛情っていうものが理解できていないのかな……」

「それは違うよ」

くっきりと明瞭《めいりょう》に発したのは脇坂だ。

「マメくんの生い立ちと、あの写真について思うこと、そのふたつは別の問題だ。親のあるなしと、親の愛情を理解することも、やっぱり別の問題だと僕は思うよ。だって、親がいるのに親の愛情を理解してない人だって、たくさんいるしね」

「……脇坂さん」

いつのまにかうつむいていた顔を上げて、マメは脇坂を見た。嬉しくて、つい脇坂を見つめてしまう。脇坂は目元を少し赤くして「あっ。なんか僕、偉そうだった」と照れ笑いを見せた。夷はお茶を啜《すす》りつつ、ウンウンと頷《うなず》いている。

「珍しく脇坂さんがとても正しいことを言いました。ああ、惜しかったですね、こういう時に限って先生がいない」

「えっ。そう思うなら夷さん、後で先生に言っておいてくださいよ、僕がそれは素晴らしい発言をしたって」

「気が向いたら言いますよ。……それはさておき、マメ、脇坂さんの言うとおりです。実際、あの写真の母親はかなり怖いと私だって思う」

スミレが豆かんの空き容器の五つ目を重ねながら「私も思うわ〜」と言った。あんこもすっかりなくなっている。

「っていうか、みんな思ってるんじゃないかしら。言いにくいから口に出さないだけで。だからマメくんは全然変じゃないよ。安心して」

「ありがとうございます、スミレさん」

みんなに肯定され、マメは安堵《あんど》する。どうやら自分の感覚は異常ではないようだ。嬉しかったので、スミレに「もっとあんこ食べますか？」と聞くと、わあい、と空になった丼《どんぶり》を差し出された。マメはそれを持って立ち上がり、茶の間を出て台所へ向かう。

冷凍庫からいつも保管してあるあんこを出していると、遠慮がちな足音が近づいてきた。洗足家は古い木造建築なので廊下がよく軋《きし》むのだ。

「マメくん、夷さんがお茶っ葉を替えてくれって」

台所にやってきたのは脇坂だった。

「はい。わかりました」

「僕も手伝うよ。茶筒、ここだったよね」

洗足家の台所にだいぶ詳しくなっている脇坂が戸棚を開ける。目的の茶筒を取り出すと、今度は急須《きゅうす》を洗い出した。マメが「僕がしますよ」と申し出たのだが、脇坂は「大丈夫」と笑いながらマメの隣に立つ。ふたりでシンクの前に並んでいると、身長差がかなりある。背が高くていいなあと、マメは心の中で思う。

「……マメくんは」

脇坂が何か言いかけ、だが途中で言葉を止めた。

「脇坂さん？」

「ごめん。なんでもない。今日のあんこもいい出来だったね」

そんなふうに話をそらしたが、さすがのマメも不自然さを感じる。脇坂はマメに、なにか聞きたいことがあるのだ。それが何なのかは、ある程度予想がついていた。

「いいんですよ。聞いて下さい」

「………………」

「僕にどうして親がいないのか、どうしてこの家に住むようになったのか。それが気になっているんでしょう?」

「……うん。でも、本当にいいんだ。興味本位で聞くようなことじゃないって、いま気がついた。ごめん」

「脇坂さんが僕に興味を持ってくれるのは、僕が友達だからですよね。なら僕は脇坂さんに話したいと思うんです。脇坂さんが聞いてくれるのなら、ですけど」

洗いかけの急須を手にしてシンクの底を見つめたまま、脇坂はしばらくじっとしていた。だがやがて迷いを吹っ切ったように顔を上げて「うん、聞きたい」と答えた。

「マメくん、きみのことを知りたいよ」

人の心とは不思議なものだ。

マメは自分の過去について他人に語りたいと思ったことはない。もちろん洗足や夷、そして鱗田はそれを知っているけれども、いずれも自分から語りたいと思って話したわけではない。なのに今、脇坂には自分の意思で語ろうとしている。脇坂に知ってもらいたいと思っている。

「さっきも言ったように、僕、親のこと覚えてないんです。最初に僕を育ててくれてたのは親戚《しんせき》の人か何かだったようで……でもそのへんも曖昧《あいまい》です。記憶がはっきりしてくるのは施設にいた頃かな」

「施設……」

「いろんな事情で親と一緒に暮らせない子や、親と死別してしまった子供のための施設です。僕、見た目がこんなでしょ？　生育に異常があるって言われて、病院に入院させられたりもしました」

新しい丼にあんこをペタペタと盛りながらマメは語った。以前に比べたら、ずいぶん冷静に語れるようになった。ちょっとは成長したのかな、と自分で思う。

「妖人《ようじん》の存在がわかった時、施設にいる子供たちは全員検査させられたんです。まだあの頃は妖人保護法もなかったし……。僕はもともといじめられっ子だったんですけど、妖人だってわかってからはもっといじめられるようになって……子供同士じゃなくて、大人からの扱いも、なんというか……」

マメはいったん言葉を止め、盛んに瞬《まばた》きをした。急に当時のことがリアルに思い出され、胸が苦しくなってしまう。終わったことなのに、遠い過去なのに……いまだにマメを苦しめる。

「マメくん……？」

「大丈夫です」

マメはスッと息を吸い、頑張れ、と自分に言い聞かせた。きちんと脇坂に話したい。もう大人なのだから、できるはずだ。

「だから、逃げ出しちゃったんです。施設から」

無理に笑って言った。

作り笑いなのはばれているだろうが、脇坂は「そっか」と合わせて笑ってくれる。

「いいんじゃないかな。うん、逃げていい時だってあると思うよ」

「いいのか悪いのか……よくわからなかったけど、施設を飛び出して……」

数か月、放浪した。

妖人の中には定住を不得手とする者もいる。例えば《座敷童《ざしきわらし》》がそうだ。数か月から数年ひとところにとどまり、また放浪する。そういった妖人は放浪するためのスキルを身につけているのだが、マメは違った。決まった家がないという状況はマメに大きなストレスを与え、心身ともボロボロに疲れ果ててしまった。

「もうだめかなと思いました。このまま死んじゃうのかなって。東京にすごく雪の降った日で……僕はどこにも行くところがなくて」

力尽きて、路上にただ座っていた。降りしきる雪の中、道行く人もほとんどいない。いたとしてもマメのほうを見ようとはしなかった。ふわふわと大きな、綿のような雪だった。寒くて惨めでどうしようもなかったけれども、雪だけは綺麗《きれい》だった。

呆《ほう》けた顔を空に向け、落ちてくる雪を見つめていた。

まつ毛の上に降りた雪が溶けると、涙のようにこめかみを流れていった。けれどマメ自身は泣いていなかった。身体の感覚と一緒に感情すら凍えてしまい、何か考えるということもできなくなっていた。

「……その時、声をかけてくれたのがウロさんです」

「え？」

脇坂の驚いた顔に、「やっぱり知りませんでした？」とマメは笑う。

「ウロさんのことだから、話してないんだろうなって思ってました。僕が自分から脇坂さんに言うまで、待っていてくれたんですね。僕はウロさんに保護されて……最終的にはここに行き着いたんです。この洗足家に。……妖琦庵に」

「そうだったんだ……。うん、ぜんぜん知らなかったよ。そうか、じゃあマメくんはそのころから、ウロさんを知ってるんだね」

「はい。ウロさんにはとても感謝してます。僕をここに連れてきてくれた恩人です。まあ、そんなこんなで現在に至ります。ここに来てからも最初のうちはいろいろありましたけど……それはまた別の機会に。さあ、お茶とあんこを持っていかないと」

「そうだね。行こう」

脇坂は急須の底を布巾《ふきん》で軽く拭《ふ》き「話してくれてありがとう」とマメに言った。マメこそ、聞いてくれてありがとうと言いたかったのだが、少し照れくさくなってしまい「いえ」としか返せなかった。不思議に、心が少し軽くなった気がする。自分のことを誰かに話すと、昔の自分をいくらか客観的に見ることができるようだ。それが心の荷物を減らしてくれるのかもしれない。

茶の間の前まで来ると、脇坂が不意に足を止めた。どうしたんだろうと思ったが、その原因をマメもすぐに気がつく。

襖《ふすま》の向こうから声がしていた。夷の声ではなく、スミレの声でもない。正しくは襖の向こう、茶の間の掃き出し窓の、さらに向こうから聞こえてくる声だ。

「なあ、入れてくれよ～。頼むよ～」

脇坂が眉《まゆ》を寄せて襖を開けた。脇坂よりかなり背の低いマメは、背後からひょいっと茶の間の中を覗《のぞ》き込む。ちょうど正面奥にある窓の向こうに、例によって例のごとくの人物が立っている。脇坂ではなくマメを見て右手を上げ「よ、チビちゃん！」と犬歯を見せて笑った。

「チビちゃんからも言ってくれよ、俺だけ入れてくれないなんてひどくね？」

チビちゃんなどと呼ばれて嬉《うれ》しいはずもないマメだが、現実に自分はチビなので、そう呼ばれても仕方ないだろうかと悩みつつ「夷さんがだめっていうなら、だめなんです。ごめんなさい」とその男に詫《わ》びる。

「マメくんをチビちゃんなどと呼ぶ奴は、永遠にこの家に入れない」

不快感もあらわに言い放ったのは脇坂だ。急須を卓上に置いたあと、「春なのにまだ冷えますねえ。でも茶の間はあったかいなあ」とわざと言う。

「なんだか使えない刑事の声が聞こえたような気もするけど、きっと気のせいだな。俺の耳はめちゃくちゃいいけど、ろくに仕事のできない役たたず刑事の声だけは聞こえないようになってるんだよ」

庭に立つ男のほうも負けてはいない。嫌味たっぷりの台詞《せりふ》に窓ガラスが白くけぶる。

マメも新しいお茶を淹れながらどうしたものかなあ、と夷を見た。

「甲藤くん。先生の言《い》いつけでね、君を入れるわけにはいかないんだよ。風邪をひかないうちに早く帰りなさい」

予想通りの返答だ。誰であれ、洗足の許しがなければこの家に入ることは罷《まか》り成らない。まして洗足が臥《ふ》せっているあいだに、勝手に入れるはずもない。

「そうだそうだ。帰れ帰れ」

意地悪い顔で脇坂が笑う。脇坂はこの甲藤という男を毛嫌いしているのだ。基本的に穏やかで、誰にでも優しい脇坂にしては珍しいことである。

「ねえ、なんだかちょっと可哀想……先生はどうしてこの人を入れてあげないの？ 彼も妖人なんでしょう？」

スミレの問いに夷が「一度は入れましたよ。その時の態度があまりに悪かったのが原因でしょうね」と答えた。

「だからさ。それは反省してるって。あまりに反省しまくって、もう自分がなにに反省してるんだか訳がわかんなくなるほどだよ」

ふてくされたように返した甲藤を見て、夷が「あと、ああいう拗《す》ねた態度が、先生はお嫌いなんだと思いますよ」とつけ加える。

「ふん。いいよ、わかったよ。こうなったら持久戦だ。俺は帰らないからな。ここから会話に割り込んでやる」

「夷さん、あんなの無視しましょう」

「いや、無視まではしないけど……脇坂さん、甲藤くんのことになると手厳しいね」

「僕、無礼なバカは嫌いなんです」

「おまえだって、先生にバカバカ言われてるだろうが」

「うるさいな、僕はきみとは違う。礼儀正しいバカなんだ！」

ものすごく堂々と言い放った脇坂である。夷は両者を見比べ、呆《あき》れたようなため息をつき「はいはい、そこまで」と制した。

「ま、いたいなら勝手にいなさい。……ええと、なんの話をしていたんでしたかね」

夷に問われたスミレが「母親は怖いって話です」と答えた。

「そうそう、それだ。さっき私たちが話していたのは、子供を守ろうと必死になる時、母親は恐ろしい形相になるっていう話だったけど……スミレさんいわく、母親というのはもともと怖いものだ、と」

夷の説明に、マメは小首を傾げる。

「厳しくて怖いお母さん、という意味ですか？」

「うーん、それとはちょっと違うのよね……これ、私がもらっちゃっていいの？」

あんこがてんこ盛りになっている丼を引き寄せてスミレが聞く。もちろん他の全員は充分に食べ足りているので、三人同時に「どうぞ」と唱和した。窓の外で約一名が「俺は熱々のおしるこが食いたいぞー」と主張している。

「なんていうか、母親って思い込みが激しいじゃない」

カレー用の大きなスプーンであんこを掬《すく》い、スミレが言う。

「思い込み？」

脇坂が首を傾げた。夷も今ひとつわからない顔だし、マメもピンとこない。

「ん〜、どう説明したらいいかなあ。例えば、今年のお正月に、久しぶりに親戚《しんせき》がそろったんです。その時、伯母《おば》が……母の姉なんですけれど、彼女が言ったんです。『最近すっかり疲れやすくなっちゃって……もう歳だものね。病気になったりしたら、誰があたしの面倒見てくれるのかしら。老後が心配だわ』って」

「その伯母さん、旦那《だんな》さんやお子さんはいらっしゃらないんですか？」

そう聞いた脇坂に、スミレはあんこのついた唇で「ううん、いるわよ。旦那さんも元気だし、息子もふたり」と答えた。それなのに老後の心配をしていたというのだ。

「要するに、旦那さんも息子たちもあてにならないって言いたいみたい。そしたらうちの母がなんて言ったと思う？　『そうよね、不安になっちゃうわよね。うちはスミレがいてくれてよかったわ』って……。そりゃ、私だって親の具合が悪くなったらちゃんと面倒をみますよ？　でもね、ちなみに、私にも兄がいるの。いわゆる長男。長男が親の面倒みるべき、なんて時代錯誤なことを言うつもりは毛頭ないんだけれど、娘が当然やってくれる、っていうのもなんだか違和感があって……」

「あの……それは、兄妹《きょうだい》で力を合わせてやればいいですよね？」

遠慮がちにマメが言うと、スミレが「そう、そうでしょ？」と呼応した。

「でもうちの母親は、当然私がしてくれると思ってるみたい。今まで頼まれたこととか、念を押されたこともないのよね。だから約束もしてない。なのに疑うことなく、そう思ってる……」

「それはスミレさんを信じているからなのでは？」

夷の指摘に、スミレは食べるのを止めて少し考え込んだ。

「そうですよね。信じてくれてる……それは嬉しいし、もちろん私は母の期待を裏切るつもりはないけど……」

言葉を探して視線がさ迷った。自分の言いたいことがうまくまとまらないらしい。マメにもそういうことはよくあるので、もどかしさは理解できる。

「でも時々、怖くなるんです。その盲目的な信頼というか……私の娘なんだからそうしてくれて当然、みたいな……」

「それは支配だろ」

窓の外から、飛び込んできた声にスミレの表情が固まる。

見開かれた目の上で、一度眉毛《まゆげ》が強く寄せられ、だがすぐにほどけて「あぁ」と小さく言った。

「支配。そうかも」

「甲藤君。面白半分に話をかき混ぜるのはやめなさい」

夷が苦言を呈したが、甲藤は悪びれたふうもなく「面白がってるわけじゃないスよ。本当にそう思ったから」と返す。ガラス越しだというのによく聞こえる声だった。

「自分の娘だからって、自分の思ったとおりになってくれるって思い込んで、しかもそれを当然のように周りに吹聴するってのはさ、一種の支配だろ？」

「……彼の言うとおりかもしれません」

「スミレさん、あんな奴の適当な話、聞く必要ないです。お母さんはあなたを支配してなんかいません。現にあなたは実家に縛られているわけでもなく、ちゃんと独立して自由にしているじゃないですか。自分の子を支配しようとする親なんかいませんよ」

脇坂は熱弁をふるったが、スミレは「そうかしら」と疑心暗鬼な顔つきをする。

「今はそうでもないけど、思春期の頃にはよく思ったのよね。お母さんは私をコントロールしようとしているんじゃないかって。どうしてそんなふうに思ったのか、具体的なことはあんまり覚えてないんだけど……。ああ、そうだ、ひとつ思い出した……」

スミレは中学生の頃の思い出を語った。

同級生たちと一緒に宿題をすることになり、男女四人がスミレの家に集まったそうだ。ふたりの男子のうち、ひとりはクラスの人気者で、スミレもちょっと彼のことが気になっていたという。

「母はお茶やおやつを出してくれたり……同級生たちに、すごく感じよく接してくれたの。中でも私が気になっていた男の子には、愛想よく親しげに話しかけてた気がする。

だから私、お母さんもきっとその子のこと気に入ったんだと思ったのよね。でも友達が帰ったあと、夕飯の時に……」

スミレの母親は手のひらを返したように、その男の子のことを批判したという。顔がちょっといいからって得意気になってる、ケーキの食べ方がすごく汚い、爪のあいだが汚れてて不潔だ……。

「挙句の果てに、足が小さいから背は高くならないわね、だとか……。私は怒って、ケンカになっちゃったの。なんで私の友達のこと悪く言うの、って」

母親は「ごめんごめん」と笑いながらも謝ったそうだ。

だがそれ以来、スミレはその同級生を見る目が変わってしまった。つい彼のお弁当の食べ方を観察してしまったり、爪のあいだを見てしまったり、上履きのサイズを確認してしまったり……。すると、母の言っていたことは概ね正しく、だんだんとその男子に対する興味が薄れていったそうだ。

「ほら。それってさ、ちょっとした洗脳じゃん」

甲藤がまたしても口を挟む。

「洗脳までは言いすぎです。スミレさんのお母さんに悪気はなかったはず」

夷が窘《たしな》めると、甲藤は肩をすくめてその場にしゃがみこんだ。ポケットから煙草を取り出し、「庭も禁煙」と夷に叱られる。

「そうなの。母に悪気がないのはわかってる。私を洗脳しようなんて考えもないはず。

……でも、似たようなことはその後もあって、そのたび私は、母の言ったことに反発しながらも影響されて、ぐらぐらして……」

「母親として、娘を心配しているだけだと思いますよ」

脇坂がいい、スミレは「それもわかってる」と答えた。

「悪気はなくて、私を心配するから干渉してくるだけで……だから私は非難できないのよね。たぶん向こうも、非難されるいわれはないと思っている。娘のためにしたことなんだから、責められるなんて夢にも思ってないかも」

「そのへんが親子関係の難しいところだと思いますよ。思春期になった子供を親は心配し、つい干渉してしまう……。どの家庭でも、多かれ少なかれあると思いますが」

「そうよね、どこにでもある話よね」

夷の落ち着いた口調に納得したのか、スミレの声が少し明るくなった。再びあんこをパクパクと食べながら「変な話しちゃった」といつもの笑顔が戻る。

「スミレさんは変じゃないです。変なこと言ったのはあいつで」

「脇坂さん、本当に甲藤さんが嫌いなのねぇ」

「はい。人生でこんなにスカッと嫌いな奴に会ったのは、初めてかもしれません」

スカッと嫌い、というくだりがおかしくてマメは笑った。マメが笑うと脇坂もニコニコして「あれ、変だったかな」と頭を掻《か》いた。

「親子って難しいんですね」

マメがしみじみ呟《つぶや》くと、夷が「簡単な人間関係などないよ……と、先生だったら言うでしょうね」と言った。すると脇坂が「こんな感じですかね？」と、眉間《みけん》にぐっと皺《しわ》を寄せ、

「『……簡単な人間関係などないよ』」

などと、洗足の物真似をしてみせるものだからみんながドッと笑う。

スミレなど、もう少しであんこを噴き出しそうだった。涙をにじませて笑いながら「やだ、脇坂くんやめてよ」とそれでもあんこの丼は離さない。夷は夷で顔を覆って笑いを抑えながら「私が笑ったことは内緒ですよ。絶対に内緒ですからね」と苦しそうだ。マメも腹を抱えて笑いながら「僕も内緒にしてください」と頼んだ。この場にいるものは一蓮托生《いちれんたくしょう》というわけだ。

ふと庭を見ると、甲藤の姿が消えていた。

黒いジャケットに身を包んだ姿はなく、静かな春の中庭に山吹が揺れていた。暖かい茶の間に入ることを諦《あきら》めたようだ。正直、マメも甲藤のことは苦手なのだが、それでも少し可哀想に思える。

彼にはちゃんと帰る家があるだろうか。そこに彼を待っていてくれる人がいて、今の自分たちのように笑いあったりできるといいのだけれど……。

「あ。いなくなった」

脇坂も気がついたようだ。

「やっと帰りましたね。これで庭が眺められる。……あの奥の木って桜ですか？　ピンクの蕾《つぼみ》の……」

「花海棠《はなかいどう》ですよ」

夷が答えた。マメもずっと以前、同じ質問をしたことがある。ソメイヨシノより濃いピンクの花が咲くと、とても綺麗《きれい》なのだ。

「桜が終わった頃に咲くんです。茶庭には少し派手ですが、先生の母上がお好きだったので」

「先生のお母さんが……そうですか」

呟くように言い、脇坂は庭をじっと見つめる。

近頃の脇坂は、ふいに深く考え込んでいることが度々あるように思う。なにか悩みでもあるのか聞いてみたい気はするけれど、マメでは相談相手にもならないだろう。それがちょっと悲しくて、なかなか聞けないままだ。

ずりずりっと襖《ふすま》が開いた。

「ぶみっ」

「うっ」

にゃあさんの登場に夷が僅《わず》かに緊張したが、茶の間を去ろうとはしない。もう数か月一緒に暮らしているので、だいぶ慣れてきたようだ。

「ぶにゅ～」

にゃあさんが甘えたい時の声を出す。

「おいで」

マメが呼ぶと、のしのしとやってきて、膝《ひざ》の上にどっしり乗る。スミレに眉間を撫《な》でられてゴロゴロとご満悦だ。にゃあさんはもうおじいちゃん猫だけれども、時々こんなふうに甘えてくる。甘えられる相手、心を許せる相手。それはきっと誰にでも必要なはずだ。

——甲藤にも、誰かしらそういう人がいるといいのに。

心の中だけで呟き、マメも庭を眺める。

花海棠は、いつごろ満開になるだろうか。

※

こんなに違うものなのか。

31階の部屋に通された時、あたしは内心で結構驚いていた。もちろんそれを顔に出しはしないけど、少しくらい出ちゃったかもしれない。

だって本当に、ぜんぜん違う。

広さと間取りが違うのはわかっていたし、家具が違うのも当然だ。それ以外の、例えば床材だとか壁紙だとか、ちらりと見えたキッチンの設備だとか……差がありすぎる。

同じマンションの部屋とは思えなかった。

「ごめんなさい、散らかってて。子供がいるとなかなか片づかなくて……」

カオリさんはそう言いながら、白っぽいベージュ色のソファから、おもちゃやぬいぐるみをどかす。ソファは総革で高級感があった。子供がいるのに、汚れが目立つ色でも気にしないのだろうか。汚れたら、新しいの買えばいいとか？ そんなことを考えながら、あたしは窓辺に近づく。ああ、そうか。窓のサイズも……いや、天井の高さからして違うのだ。

「コーヒーと紅茶、どっちがいいですか？ あ、ハーブティーもあるけど」

「……すごい眺めですね」

「え。ああ、眺望はいいけど、風が強いから窓はほとんど開けられなくて」

「じゃあ、洗濯物、干せない？」

「そうなんです。乾燥機使うしかないんです」

うちは浴室乾燥機がない。購入する時にオプションでつけることを勧められたのだが、ママが「洗濯物は日光で乾かすのが一番よ」と譲らなかったのだ。洗濯をするのはあたしなのに、あたしの意見はいつだって無視される。

大きな窓に軽く手をつけてみる。

日当たりのいい部屋は暖かく、ガラスは冷たくない。こっそりと指先を押しつけると、きれいな透明の上にあたしの指紋がついた。

「ホントすごい。街が全部見下ろせますね。車があんなに小さいんだ……」

「でも高すぎて、下に降りるのが面倒になりますよ。それに、地震の時変な揺れ方して気持ち悪いし」

カオリさんはさっきから高層階の欠点ばかり言っている。

そんなに嫌なら、今からでも下の階に引っ越したらどうですか、空いてる部屋あるんじゃないですか……などという意地悪な台詞《せりふ》が浮かんだが、さすがに口にはしない。カオリさんは気を遣っているのだ。遥《はる》か下、2階に住んでいるあたしに遠慮して、高層階の快適さを語らないのだ。ちなみに、1階はロビーなどの共有施設だけなので、2階が住居の一番下になる。

その一番安い2LDKだって、あたしとママにとっては勇気のいる買い物だった。うちの収入は、遺族年金と、あたしのアルバイトやパートの収入程度だ。古い公団住宅にずっと住んでいたのだが、祖母が亡くなった時、思いがけない遺産が入った。そのおかげで、憧《あこが》れのタワーマンションを購入できたけど、共益費だって馬鹿にならない。

「……ハーブティーをいただこうかな」

「あ。はい」

あたしの返事がなかったので、カオリさんが紅茶の支度をしてるのを承知で言ってみた。カオリさんはとくに表情を変えることもなく、ガラスのポットを逆さまにして紅茶の茶葉をキッチンペーパーの上に落とす。それを丸めて、ためらいもせずに捨てた。

「今日、娘さんは？」

心地いい弾力のソファに腰掛けて、聞いた。

「お友達のところに遊びに行ってます。そこのママにお願いして、一時間だけ預かってもらうことに」

「そうなんですか。そのママ友も、このマンション？」

ハーブティーの支度をしていたカオリさんが一瞬戸惑ったように瞬《まばた》きをして、けれどすぐ笑みを作り「ええ」と言った。その人は何階なんですか……と聞こうと思ったけれどやめておく。きっと上層階の人なのだろう。

住居の階数をいちいち気にするなんて、馬鹿げている。

他人はそう思うだろう。あたしだってここに住む前だったら、くだらないと笑い飛ばしていたはずだ。でも、実際住んでみて……じわじわと分かってきた。

タワーマンションは、あまりにもわかりやすいのだ。

方角や面積によって多少の違いはあるものの、基本的に高層階の物件が高値で、低層階になるほど下がっていく。高層階は経済的に余裕のある人たちの購入が想定されているので、設備なども高級になっているのだろう。

上と下。

フロアの高低が、経済的な状況をあからさまに物語る。こういうのを、ヒエラルキー、というのだろうか。うちの場合、母の足が悪いから低層階にしたという言い訳もできるけれど……でも、エレベータがあれば普段は関係ない。

「あたし、バイトしてるんです」

「はい？」

紅茶用の砂時計をひっくり返し、カオリさんは語尾を少し上げた。あの砂時計、本当に使ってる人いるんだ。

「ほら、サービス棟にコンビニ入ってるでしょ。そこでバイトしてるんですよ」

「ああ、そうなんですか。職場が近くて、いいですね」

「カオリさん、バイトとかしたことあります？」

「学生の頃はしましたよ。家庭教師とか」

ああ、そういうバイトね、レベルが違うわけね……。そんなふうに思ってしまう自分がいやだけれど、この空間の中ではどうしようもない。小さな子がいるのに、モデルルームみたいに綺麗《きれい》で高級な高層フロア……。

「どうぞ」

カモマイルの香るお茶が出された。シンプルで品のいいカップ&ソーサーだ。うちのママが好きなゴテゴテした飾りはない。本当はあたしだって、こういうほうが好きだ。

「……可愛いカップが……ないんです」

唐突に、カオリさんが呟《つぶや》いた。

「え?」

「小さい子供のいる家だと、キャラクターのついた食器なんかが、普通あるでしょう?うち、それがないんです」

「ああ……でも、こういうほうがシンプルで素敵ですよ」

あたしが言うと、斜向《はすむ》かいに座っていたカオリさんが「あ、すみません。そういうことじゃなくて」と改めて語り出した。

「お客さん用や、大人用はこういうのでいいと思うんですけれど……。うちは、子供用すらないんです。例えばディズニーのだとか……娘は欲しがるんですけど、買ってあげられなくて……」

「どうしてですか?」

「母が、だめだと」

薄黄色いハーブティーの水面ばかりを見つめて、カオリさんは言った。

「キャラクターグッズは安っぽい子供だましで、本当の情操教育にはならないと」

あたしは思わず笑ってしまった。

「子供だましって……相手はほんとに子供なんだし」

「そうですよね」

「可愛いキャラクターグッズが欲しい年頃ですよね。何でも買い与えるのはよくないかもしれないけれど……いくつか持たせてあげても問題ないんじゃないかなあ」

カオリさんははっきりと大きく頷《うなず》き「私もそう思います」と答えた。

「キャラクターグッズを持っていても、情操教育に問題はないはずです。みんなが持っているのに自分だけ持ってない娘が可哀想です。母にもそう言ったんですが、聞き入れてもらえなくて……『あなたにも絶対買い与えなかったわ』って言われちゃうんです。でも、時代も違うし……」

「みんなと違うと、いじめられたりする時代ですもんね……。お母さんの言いなりになってる必要ないんじゃないですか。内緒で買っちゃえばいいのに」

「内緒で買ってあげたことあるんです。でも、母は必ず見つけ出してきて、勝手に捨ててしまうんです。娘はワンワン泣いて、さすがに私も母に文句を言ったんですが……そしたら……」

「……あなたが買い与えなければ、こんなことにならなかったのにって？」

カオリさんが顔を上げた。あたしをまっすぐに見て「ええ」と答える。

「どうしてわかったんですか？」

「うちのママも言いそうだから。私が何かママに逆らったことをすると、それを何とか妨害して、だめにして……だからママの言うとおりにすればよかったのよって」

「ええ、そう。そうなんです。昔からずっと……そうなんです」

カオリさんの声が震えていた。自分を落ち着かせるように大きなため息をつき、ハーブティーを一口飲む。

「母は正義感が強くて、時々極端だけれども、基本的には間違っていません。とても強い信念と実行力を持った人です。そして私にもずっとそれを求め続けて……私はその期待に必死にこたえようとしました。母が私に満足することはありませんでした。母に認められたい一心でテストで満点を取っても、それは当たり前なんです。褒めるようなことじゃないんです。80点なら叱られるけれど、100点でも褒められない……」

「うわあ。それは厳しいですね……」

「今思うと、私は褒められたいから頑張る子ではなく、叱られたくないから頑張る子でした。そういうネガティブなのってよくないと思うんです。せめて自分は、母とは違う子育てをしようと思っているのに……母はそれを許してくれない。堂々と、当然のように、子育てに口を挟むんです」

カオリさんが項垂《うなだ》れると、細い首がいっそう目立つ。せっかく美人なのに、いつも疲れた雰囲気の人だ。いつもといっても、まだ会うのは二回目だけれど。

「旦那《だんな》さんはなんて……あ、単身赴任でしたね」

「はい。夫は頼りになりません。私はあまり親しいママ友もいなくて……前に、ちょっと零してみたことがあったんですけれど、頼りになるお母さんでいいじゃないって言われちゃって。その方は、たまたま義理のお母さんとうまくいってなかったようで、それに比べたら楽なものよって……窘《たしな》められてしまって……」

「わからない人にはわからないんですよ、実の母親とのイザコザって」

「そうみたいですね……。でも、今日はユキさんが聞いてくれて嬉《うれ》しいです」

今度見せた笑みは、ちょっと弱々しかったけれど、作り笑いではないように思えた。

「それぞれタイプが違うみたいだけど、厄介な親を持っちゃいましたね」

「ほんとに。うちの母が支配型で、ユキさんのほうは依存型という感じでしょうか」

「うんうん、そんな感じ。うちは、依存しながら支配してくる気もします」

「わかります。頼ってくるということが、すでに支配なんですよね……娘を、思うままにしようという。でも決して悪意はない……」

「あんたのために、って言われる」

「そして本気でそう思ってる」

「母の愛ですよね。だからあたしたちは」

逆らえない。

締めくくりの言葉は、ふたり同時に発していた。それがおかしくて、あたしたちは顔を見合わせて笑う。まるでとても気の合う友達同士みたいだった。

不思議だ。ついさっきまで、あたしなんかとは全然違う人と思ってたのに。

お金があって、きっと学歴も高くて。けれどこうして母親に関する悩みを話しあってると、カオリさんがとても身近に感じられる。同じ悩みを持った、同じ人間なんだなと心から思うことができる。

あたしも今まで、母親に関する悩みは誰にも言えなかった。自分の親へのわだかまりを他人にうまく説明する自信もなかった。反抗期の子供じゃあるまいしと自分に言い聞かせて、我慢してきた。

でも、カオリさんになら言える。理解してもらえる。

「ユキさん、いただき物の美味《おい》しいクッキーがあるんですよ。召し上がりませんか」

「嬉しい。クッキー大好きです」

「よかった。ちょっと待っててくださいね」

そのあとあたしたちは、くるみがたっぷり入った美味しいクッキーを摘まみながら、女子中学生のように親についての悩みを語り合った。あたしとカオリさんの悩みはかなり共通点が多くて、話しながらふたりで驚いた。

結論だけ言えば、ふたりとも母親と距離を置きたいと願っているのだ。

母親が嫌いなわけではない、ある程度の距離ができれば、きっと今のような辛《つら》い気持ちも、だいぶ緩和されるのではないか――カオリさんはそう語った。

かといってふたりとも、このマンションから離れるのは簡単なことではない。カオリさんには小さな子供がいるし、うちのママは脚が悪く、あたしはひとり暮らしをするだけの経済力がない。

「……それに、このマンションを出ると言ったら、母がいったいなんて言うか……想像するだけで怖いです」

「うちのママは泣きじゃくってあたしに縋《すが》るんだろうなあ……」

「私ね、ユキさん。この歳になっても、時々、自由になりたい……なんて思っちゃうんですよ。これって変ですよね。いい大人なのにね」

「変なんかじゃないですよ、カオリさん。それってきっとお母さんから自由になりたいっていうことでしょう？　あたしだってすごくそう思います。あたしはいつまで、ママのために生きていけばいいのか……」

あたしたちは押し黙った。

もうすぐ一時間がたつ、カオリさんの子供が戻ってくる頃だ。そろそろ行かなければならない。そう告げて立ち上がると、カオリさんは「絶対またお会いしましょうね」と言ってくれる。あたしは嬉しくて「もちろん」と返した。

帰り際、あたしはふと思い出した。

「そうだ。青江《あおえ》さんからメール来てましたよね。今度三人で食事でも、って」

「あ、はい。来てましたね。……ユキさん、どうします？　私、SNSのやりとりしかしてなくて……」

「でも、精神科のお医者さんなんだから、ちゃんとした人なんじゃないかなあ」

カオリさんは「どうかしら」と心配そうな顔つきだ。

「ああいうの、あくまで自己申告だから……。うん、私、ちょっと知り合いにあてがあるので、調べてみます」

「え、お医者さんに知り合いがいるんですか」

「そんなに親しいわけではないんですけど、お願いするだけしてみます」

カオリさんはそう請け合ってくれた。

「もしかして……カオリさんの旦那さんて医療関係？」

聞いてみると、カオリさんはちょっと笑って「内科医です」と教えてくれた。

「すごーい。医者の妻なんですね！」

「みんなが思ってるほどすごくないんですよ。今は地方の大学病院だし」

「わあ、あたし、医者の妻の友達なんて初めて」

少し前までのあたしだったら妬《ねた》ましく思っただろうけど、今は素直にすごいなと思っていた。同時に医者の妻だろうと、悩みはあるんだなあと、ある意味あたりまえのことに感心する。

それじゃあまたね、と玄関前で別れる。

ここからかなり降りなければ、あたしの部屋には辿《たど》り着かない。エレベータホールでずいぶん待った。これもまた、高層階の面倒のひとつだなと気づく。外出したい時、2階なら階段で降りてもわけはない。

やっと到着したエレベータの中、あたしは気分の切り替えを試みる。

今の楽しかった時間を顔に出してはいけない。ママは絶対に嗅《か》ぎつけて、嫌味を言うに決まってる。だからあたしはいつもの暗い顔になって、背中を丸め、大きな身体を萎《い》縮《しゅく》させた。

そして、ママが「あんたは陰気な子ねえ、あははははは」と笑うのを聞く、心の準備を整えた。

※

この点数を見て、なにか言うことはないの？

ほら、ちゃんとこっちを見なさい。お母さんの目を見て、それから答案用紙を見るの。94点。そうね、悪くはないわ。でも足りないでしょう。6点足りないわよね。平均が72点？　そんなことは聞いてないの。はぐらかさないで、ちゃんとこっちを見なさい。いい？　お母さんはね、あなたが80点しか取れない子だったら、この点数を褒めてあげます。実力より頑張ったっていうことなんだから、それは褒めるに値するでしょう。でも私は知ってるの。あなたが、このテスト内容なら満点を取れる子だっていうことを知っているの。だから悪いけど、褒めてあげることはできないわ。褒められるような結果じゃないもの。6点足りないでしょう？　6点分、あなたは手を抜いたっていうことなのよ。うっかりしてた？　単純な計算違い？　……それが言い訳になると思っているの？　ちょっと。下を向かないで。怒ってないでしょう。私は聞いてるだけよ。それが言い訳になるのかと、聞いているだけ。だってそうでしょう。テストってうっかりしないようにに、単純な計算違いをしないように、そうやって臨むのがテストというものでしょう？　あなたも六年生なんだからそれぐらいわかるはずよ。テストというのは言い訳はきかないの。結果だけなの。人生だって同じことよ。

……また下を向いている。あなたはいつもそうね。すぐうつむいて黙るのね。それで何か解決するのかしら。なにかいいことがあるのかしら。あなたがちょっと下を向いているうちに、周りの人たちはどんどん先に進んでいってしまうわ。あなたはひとり、置いてかれてしまう。それが嫌なら、ちゃんとこっちを見なさい。……そう、それでいいわ。目が真っ赤じゃない。どうして泣きそうなの？　私はあなたのためを思って言ってるだけなのに、そんな目をされるのは不愉快なんだけれど。

ま、いいわ。間違えた問題をもう一度やってご覧なさい。

この紙に書いて。……ほら、できるじゃない。簡単にできるじゃない。やっぱりあなたは満点が取れたはずなのよ。なのに気を抜いてしまった。そこが問題なの。私はなにも満点にこだわっているわけじゃないんですからね？　取れるはずの点数が取れなかったことが許せないだけ。何度も言うけれども、それはあなたが手を抜いたからなの。怠慢だったからなの。

怠慢てわかるかしら。こういう字を書くのよ。怠けるという意味よ。

あなたは6点ぶん怠けたの。ああ、情けない。お母さん、天帝様に顔向けできないわ。自分が手を抜くと怠ける人間だということを、よく覚えておきなさい。自分の怠慢さを自覚して、常にそれを戒めるの。あなたみたいな弱い子はそういうふうにしなきゃだめ。忘れないように書くといいわ。ノートを広げて。そこにこう書きなさい。

私は怠慢です。

しっかりした文字で書きなさい。

私は怠慢です。

……字が歪《ゆが》んでいるわ。なぜ泣くの？　泣く必要はないでしょう？　本当に情けない子ね。いやになる。私の子なんだから、もっと強い心を持っているはずなのに。こう書きなさい。私は怠慢で心が弱いです。

なにしてるの。早く書くのよ。私は怠慢で心が弱いです。

何度も書きなさい。何度も書いて自分の欠点を自覚しなさい。そしてそれを克服して、やっと正しく強い人間になれるの。ほら、続けて。百回書きなさい。百回書くまで、止めてはだめよ。

私は怠慢で心が弱いです。私は怠

三

「もう終わった話ですから」

あからさまに迷惑そうな顔で、男は言った。

なかなかいいスーツを着てるなあと、脇坂はそれとなく観察する。セミオーダーくらいだろうか。少なくとも吊《つ》るしの安売りではない。よく手入れされた黒の革靴は、踵《かかと》がほとんど減っておらず、袖口《そでぐち》からのぞく時計はブライトリング。会社員として許される範囲の中で、ファッションを楽しんでいるように見受けられた。

「マスコミが騒ぐので迷惑しているんです。妻にしても、あんな写真、撮られたかったわけじゃないし……」

「お察しします。なに、マスコミはしばらくすれば飽きますよ。ただ警察はそういうわけにもいきませんのでね。被疑者は完全に黙秘ですし、なんとかして事件の原因を突き止めなければ」

そう説明した鱗田の隣で、脇坂はコクコクと頷《うなず》いた。この先輩刑事とコンビを組むようになって、いくつか学習したことがある。

聞き込みをする時、相手が男性ならば鱗田に任せたほうがいい。まだ若造の脇坂だと真剣に取り合ってくれない場合が多いのだ。相手が女性の場合は、脇坂が相手をしたほうが喋《しゃべ》ってくれるケースもある。ただし、事件にまったく関係ないことを延々と聞く羽目になるのもしばしばだ。

「事件の原因はもうわかっているでしょう。私怨《しえん》ですよ。野尻さんは、僕を恨んでいたんです。確かに彼女は仕事のできる人だったけれど、当時の失敗を見過ごすわけにはいかなかった。私だって上司として、取引先に土下座の勢いで謝ったんです。彼女を子会社に出向させた判断は、間違っていなかったと思います。僕からしてみれば逆恨みで娘を誘拐されたんですから、たまったもんじゃありません」

「ええ、まったく、ひどい話です」

鱗田が男に同調する。しみじみとした口調ではあるが、本心からそう思っているわけではない。いつも眠たそうな目をした先輩刑事は、相手の気が緩み、言わなくていい一言を零《こぼ》してしまう瞬間を待っているのだ。

「希良々ちゃんが誘拐される以前、野尻さんから連絡はありましたか？　電話とかメールとか」

「ないです」

きっぱりと男は――星希良々ちゃんの父親は答えた。

星康弘《やすひろ》、四十三歳。物流管理システムを設計する企業で働いている。

現在の役職はマネージャー、いわゆる課長ぐらいだろうか。ここは星の勤める会社の小さな打ち合わせブースだ。鱗田と脇坂は、昼休みに少しだけ時間をもらう約束で訪れたのである。

「野尻さんが出向になってからはまったく連絡を取っていませんでした。業務的にもその必要はありませんでしたし」

「では事件の前ぶれはまったくなかった？」

「ええ。あの女、突然希良々を誘拐したんです」

「突然、ですか」

「恐ろしい女です。妖人《ようじん》だったっていうじゃないですか。ヤマンバ、でしたっけ」

顔をゆがめてそういう星に、脇坂はつい「いえ、ヤマンバなんて妖人はいません」と口を挟んでしまった。星は怪訝《けげん》な顔で脇坂を一瞥《いちべつ》し、「とにかく」と再び鱗田に向き直った。

「僕たちは、もうあの女のことなんて思い出したくもないんですよ。希良々にも早く忘れさせてあげたい。だからこんなふうに、いつまでも事件に関して聞かれるのは勘弁してほしいんです。だいたい、さんざん神奈川県警の人に話したのに、なんで今度は東京の刑事さんが来るんです？」

「はあ、本当にすみませんなあ。被疑者からなにも聞き出せないもんで、神奈川さんもお手上げ状態でしてね。私たちは一応、妖人の絡む犯罪の専門ということで応援に」

そうなのである。

神奈川県警には、Y対《ワイたい》のような部署はない。もちろん神奈川だけではなく、全国で妖人の犯罪に特化した部署は警視庁のY対だけだ。実のところ、特化させる必要はないという判断でそうなっており、警視庁のY対にしてもつい一年前までは風前の灯火《ともしび》のような部署だった。それが、このところ今までにない活躍ぶりを見せているので、多少は注目を浴びているらしい。脇坂としては鼻の高い話なのだが、うっかりそんな事を口にすれば、隻眼の先生に鼻柱をボキリと折られてしまうことだろう。

「そろそろ昼休み終わりますので、僕はもう行かないと」

「すみません最後にひとつだけ。星さん、この五年で携帯電話変えましたか？」

「……え？」

「変えました？」

鱗田は繰り返す。立ち上がりかけた星は中腰のまましばらく考えて「どうかな」と言葉を濁した。

「もしかしたら変えてるかもしれません。すぐには思い出せないけど……」

「ああ、いいんです。それほど重要なことでもないので。失礼しました」

「……そうですか。あっ、あの、これはお願いなんですけど」

今度は星のほうから、鱗田に言う。鱗田はいつもと同じように淡々とした調子で「はいなんでしょう」と聞いた。

「妻のところに行くのは、ご遠慮願えませんか。マスコミに騒ぎ立てられてすっかり消耗し、寝込んでるんです。希良々は今、僕の母が見てくれていて……」

「それは大変ですね。わかりました。では、星さんのお宅にお邪魔するのは控えます」

「ありがとうございます。助かります」

星は安堵《あんど》の顔を見せ、一礼してブースから出て行った。鱗田も立ち上がり、脇坂に「さて、行くか」と言う。

外に出ると、春の風が強い。鱗田は肩を竦《すく》め「次はここに行きたいんだがな」と手帳を広げ、脇坂に住所を告げる。その住所を小型タブレットに入力し、最も時間のかからない交通手段を見つけるのが脇坂の役目だ。

「あれ、この住所って幼稚園ですよ」

「うん。それで合ってる」

「もしかして希良々ちゃんの行ってる幼稚園ですか？　でも希良々ちゃん、しばらく幼稚園お休みしてるって、神奈川の人が」

「先生に話を聞くんだよ。電車か？」

「いいえ、この場所だと車……タクシーかバスですね」

「ならバスだ。Y対の予算は潤沢じゃないからな」

脇坂はさらにバス停の位置と、出発時刻を調べた。バス停で十分ほど待つ必要がありそうだ。鱗田にそう告げると「俺は構わんよ」と答える。

人気のない歩道で、バス停の前に刑事ふたりが立つ。風がやたらと強くて、脇坂はスプリングコートの前を押さえた。襟がバタバタしてしまうのだ。

「ウロさん、さっきの質問って、なんなんです？　星さんに聞いてた、この五年で携帯変えたかっていう……」

「ああ。おまえ、どう思った？」

逆に聞かれて、脇坂は「変だな、と思いましたよ」と即答する。

「ウロさんの質問も変だと思ったし、星さんの答えも変だった。だって今時五年同じケータイの人ってわりと少ないんじゃないかな。しかも星さん、システム関係の仕事でしょ。機械に弱いってことないだろうし……。僕は二年で買い換えてます」

「俺はかなり使ってるぞ」

「ウロさんちょっと特別です。こないだバッテリー買い換えてましたもんね……。で、星さんの返答も、なんだか曖昧《あいまい》で違和感ありました。ケータイを変えたかどうかって、そんなに覚えてないもんかなあ？」

鱗田は道路の先を眺めながら「変えたんだろうな」と答えた。

「ケータイを？」

「携帯の番号を、だよ」

「やだなあ、ウロさん。もうずいぶん前から、携帯電話を変えても番号はそのままですよ？」

「やだなあ、はおまえだよ脇坂。ちょっとは考えてみろって。俺は携帯電話を変えたか聞いただけなのに、星さんは動揺してただろ。ただの機種変更なら、誰でもしてるんだからあんなふうにはならない」

「……ですよね」

「だが、番号を変えていたとしたら？　人はどんな理由で、携帯の番号を変える？」

「そりゃ、人間関係のトラブルじゃないですかね。電話番号を変える面倒さよりも、ある特定の人間との関係を断ち切りたいとか……ん？　あ、そうか」

脇坂もようやく気がついた。星は携帯電話の機種ではなく、番号そのものを変えていた。そしてそのことを鱗田に知られたくなかったから、曖昧な返事になったのだ。鱗田が質問をぶつけたタイミングも絶妙だった。帰り際、不意をつくように聞かれて、嘘をついたり、作り話をする余裕がなかったのだ。もっとも、嘘をついたところで後から調べれば分かってしまうことではある。

「つまり星さんは、比較的近年、警察には知られたくない事情で携帯電話の番号を変えている」

「それが今回の事件に関係していると？」

「してるかもしれないし、してないかもしれない」

至極当然の回答だったが、ベテラン刑事が言うとなにやら含蓄があるように聞こえる。

「幼稚園では、何を聞くんですか？」

「希良々ちゃんの普段の様子をな。子供ってのは、親の話をよく聞いてるもんだから、ヒントがあるかもしれん」

「あー、はいはい。幼稚園の先生には、各家庭の事情がバレバレって聞いたことがあります。おままごとしてる女の子が『ちょっと、あらいものくらいしてよ。はたらいてるのは、じぶんだけじゃないでしょ』とか『おこづかいをあげてほしいなら、もっとかせげばいいじゃない』とか言ってるらしいんですよね」

「……怖いな……」

まったくである。人は身近な肉親の言葉で言語を学んでいくのだ。脇坂もいつか子供を持つことがあったら、夫婦間の会話には気をつけなければと思っている。

やがてバスが到着し、十五分ほど移動して目的の幼稚園に到着した。

責任者に事情を話すと、希良々ちゃんの担任をしている先生を呼んでくれる。三十歳前後の女性が出てきた。

「一時はマスコミの方の対応が、大変でした」

挨拶《あいさつ》のあと、彼女はそんなふうに苦笑した。

「もちろん園の中には入れませんでしたが、通勤中にも追いかけられて……。希良々ちゃん、怖い思いをしてないといいんですが」

「星さんのご自宅は、警察官が巡回していると聞いてます。最近はマスコミの取材もずいぶん落ち着いてきたようです」

脇坂が答えると「よかった」と彼女は安堵の笑みを見せた。丸い顔だちと優しげな雰囲気で、きっと子供たちに人気の先生だろう。鱗田が、希良々ちゃんの日常の様子や、気になる言動がなかったかを尋ねると、しばらく考えてから、

「うーん……これといって気になることは……。どちらかというと大人しい、手のかからないお子さんで、女の子のわりには口数も多くないんです」

そう教えてくれる。

「なるほど。希良々ちゃんは人見知りするタイプですか？」

かなり使い込んで角がボロボロになった黒い手帳を広げて鱗田は聞く。ＩＣレコーダとか、携帯電話のボイスメモを使わないのかと以前聞いたところ、書いたほうが覚えられると答えた。色々アナクロな先輩だが、そこが鱗田らしいところだ。

「人見知りというほどではないですが、ちょっと恥ずかしがり屋さんですね。その代わり、一度懐くととても親愛を示してくれます。時々、先生にだけ教えてあげる……なんて内緒話をしてくれて、本当に可愛いんです」

「ほう。どんな内緒話を」

鱗田に聞かれ、先生は「他愛ないものですよ」と笑った。

「昨日の夜、自分のお皿にあったインゲンを、こっそりパパに食べてもらったとか」

「ふむ。可愛いですなあ。両親がケンカしてたとか、そういう話は？」

「そういうこと喋《しゃべ》っちゃう子もいますけど、希良々ちゃんからは聞いてないですねえ。

パパは仕事が忙しくて、あまり一緒に遊べないとは言ってました」

「夫婦喧嘩《げんか》しようにも、家にあまりいない？」

鱗田が具体的に聞くと、先生は苦笑して「それは、私にはわかりません」とはぐらかすように答える。

「でも園の行事には、お父さんも時々いらっしゃいますよ。毎回ではないですが……。その時には、とても仲の良いご夫婦に見えました」

「そうですか」

ほとんど書く必要のなかった手帳を思案げに見つめ、やがて鱗田は顔を上げる。ありがとうございました、と言って先生に頭を下げる。たいした収穫はなかったが、刑事の聞き込みはだいたいそういうものだ。

「脇坂。おまえは」

「はい？」

「おまえはなにか、質問はないのか」

突然振られた脇坂はちょっと困った。かといって、なにもありません、では恰好《かっこう》がつかない気もする。そこで、

「園の行事って、どんなことをするんですか？」

などと事件にはまったく関係のないことを聞いてみる。鱗田はとくに口出しをすることはなく、黙っていた。

「そうですね、入園式、卒園式、おゆうぎ会、運動会、遠足、クリスマス会……結構いろいろあるんです」

「おゆうぎ……。僕、幼稚園の頃に桃太郎の劇をやったんですよ」

「え。あ、はい」

「でも、その劇で先生があらすじを変更してて、桃太郎は鬼を退治しないんです。『ぼうりょくはよくないから、はなしあいでかいけつしよう』とか言い出しちゃう。僕、鬼のひとりだったんですけど、どうも釈然としなくて……。だから、本番の時に桃太郎役の子に向かって『それがとおるなら、せかいからせんそうはなくなってるはずだ』って言い返したんですよね。そしたら、会場がすごく気まずい雰囲気になって……見に来てたうちの家族だけ、めちゃくちゃウケてましたけど」

「……おい、脇坂、なにが言いたいんだ」

「あ、つまりですね、最近の幼稚園も、そんなふうに劇の内容変えるのかなって。うん、事件には関係ないんですけどね。急に思い出しちゃって」

鱗田は無言で俯《うつむ》き、自分の眉間《みけん》を揉《も》む。こういう質問はしてはいけなかっただろうか。だが先生は「あたしもウケると思います」と声を立てて笑う。

「ご質問の件ですけど、劇の内容を変えることはありますね。どれぐらい変えるかは、園の方針や先生の方針によっていろいろです。例えばシンデレラみたいなプリンセスものの時、ひとりだけシンデレラをやらせたら不公平になるでしょう？」

「不公平といえば不公平なのかな……どうするんですか？」

「場面ごとにシンデレラを変えちゃうんです」

「うわあ、大変そうですね、それ……」

「シンデレラが六人いたりするんですよ。でも、女の子はやっぱりドレス着たいですからねえ。……そうそう、希良々ちゃんは以前、白雪姫をやったんですよ。衣裳《いしょう》あわせの時から、ドレスを着て嬉《うれ》しそうにくるくる回って……」

先生がふと言葉を止め、瞬《まばた》きをしたのちしばらく考え、「そういえば」とつぶやく程度の声を出した。

「あの時、希良々ちゃんちょっと不思議なこと言ってましたね」

「どんなことです？　どうして王子様は、いくら美女とはいえ、死体になんかキスできたのかとか？」

脇坂としてはそこが長年の疑問なのだが、先生には「いえいえ」とまた笑われてしまった。

「それ、子供に聞かれたらすごく困りますね。そうじゃなくて、希良々ちゃんこんなこと言ってたんです。『このドレス、ナムちゃんにも見せられたらいいのに』って」

「ナムちゃん？」

鱗田がその名前を手帳に書きつける。

「はい、ナムちゃんだったと思います。だけどそういうお友達、園にはいないんです。

だから私が、ナムちゃんて誰って聞いてみたら、一瞬しまったっていう顔をして……。秘密ならいいのよ、って言ったんだけど、せんせいにはおしえてあげるね。ナムちゃんはね、ひみつのおともだちなの』って真剣な顔で。それじゃ全然答えになってないんですけど、可愛くて」

「……ありがとうございました。とても参考になりました」

鱗田が手帳を閉じて、スーツの内ポケットにしまう。相変わらず眠そうな目だが、瞬きがちょっと増えている。ということは何か発見があったのだ。

「ウロさん、ナムちゃんという名前に心当たりでもあるんですか」

帰り道で聞くと「あるにはある」と答える。

「でも、そのナムちゃんって、事件に関係してます？　幼稚園児のお友達ってことはやっぱり幼児でしょう？」

「脇坂。そういう固定観念は捨てちまえよ。おまえまだ若いんだからもっと自由な発想をしろ」

「自由な発想……。例えば、白雪姫の王子様はネクロフィリアだったとか？」

「ネクロ……？」

「屍体《したい》愛好家のことです」

せっかく教えたのに、鱗田は実に嫌そうな顔をして脇坂を横目で睨《にら》む。それから道路に視線を移し、走ってきたタクシーを止めた。もう少し歩けばバス停だが、帰りはタクシーにするようだ。脇坂としてはバスより楽なので助かる。

後部座席の奥に乗り込んだ鱗田が行き先を告げる。

警視庁でもなければ、神奈川県警でもなく、他の所轄でもなく——鱗田が口にしたのは妖琦庵のある街だった。

普段から機嫌の悪そうな人間が、より機嫌が悪くなるとどうなるか。

普段から歯に衣着《きぬ》せぬ毒舌が、より機嫌が悪くなるとどうなるか。

ふたつの問題の回答は同じだ。

すなわち、静かになる。

つまるところ今日の洗足伊織はとてつもなく静かだった。風邪で喉《のど》が痛むためマスクをしている点を差し引いても、なお静寂だった。

そして脇坂は思い知った——静かな洗足は怖い。

脇坂にとってはいつも厳しく怖い人ではあるが、今日は十倍増しで怖い。冷え冷えとした眼差《まなざ》しに見据えられて、体感温度はたちまち急低下した。

銀鼠《ぎんねず》の着物と羽織、その上から黒いストールを巻いている。礼儀作法を重んずる洗足なので、いつもならば室内ではストールは外しているはずだ。けれど今日は着込んだまま、所轄の応接室でソファに座している。ソメイヨシノも咲き始めたというのに、いわゆる花冷えで気温は低い。本当ならば自宅で布団にくるまっていたいところだろう。

「本当に、すみませんなあ」

鱗田が、今日何度目かの詫《わ》びを口にした。

「お加減が悪いところを連れ回してしまって……。これで最後ですので。ほんの五分、被疑者に会っていただければ」

洗足は腕組みをし、軽く俯いている。鱗田を見はしないが、わずかに頷《うなず》いた。長い前髪が美貌《びぼう》の半分を隠しており、さらに今日はマスクまであるものだからその顔はほとんど見えない。唯一観察できる右目は、いつもより落ちくぼんで隈《くま》が濃い。脇坂が夷に聞いたところによると、洗足は風邪をひくと頭痛を起こしやすいそうだ。だが鎮痛剤が体質的に合わないため、よほどの状態にならない限り服用せず、ひたすら寝て治すのが常らしい。鱗田や脇坂も、そんな状態の洗足を引きずり出したくはなかったのだが、もう時間に猶予がなかった。相変わらず被疑者は完全黙秘を続けていて、証拠や証言もほとんど集まっていない。

だが鱗田の推測が当たっていれば——事件のありようは大きく変わる。

「先生、柚子《ゆず》茶です」

脇坂は洗足の前に湯飲みを置いた。

「柚子の皮を煮てジャム状にしたものを、お湯で溶いたホットドリンクです。温まりますし、ビタミンCも豊富なので、お嫌いでなかったらどうぞ」

コーヒーや日本茶よりいいのではないかと、脇坂が用意してきたのだ。洗足はしばらく黙って湯飲みを見つめていたが、やがてマスクを顎《あご》まで下げ、ほんのり黄色い柚子茶を口にした。あたりにふわりと柚子の香りが漂う。うまいともまずいとも言わなかったが、湯飲みを一度も手放さず飲み干したので気に入ったのだろう。脇坂は安堵《あんど》して「おかわりを持ってきますね」と立ち上がった。

ちょうどその時、ノックの音がして、所轄の刑事が部屋の扉を開けた。

「お待たせしました。取調室にお願いします」

洗足が立ち上がる。たとえ体調が悪くても、しゃんとした姿勢のよさは相変わらずだ。所轄の刑事とともに部屋を出て、脇坂と鱗田もそれに続いた。

洗足には、これから野尻弥生に会ってもらう。

川崎市幼女誘拐事件の被疑者、四十一歳の妖人《ようじん》である。

取調室に入る直前、洗足はストールを外して脇坂に渡した。マスクも取り、懐にしまう。柚子茶の効能か、顔色が少しだけよくなったようにも見えた。

部屋には、洗足だけが入る。

本来ならば刑事が同席するのだが、ふたりだけで話したいという洗足の強い要望があったのだ。脇坂と鱗田も所轄の担当刑事とともに、別室でモニタリングする。

野尻弥生の向かいに、洗足が腰掛けた。野尻はぼんやりと洗足を見た。出《い》で立ちからして、明らかに刑事ではない男を目の前にしても、その顔に感情らしきものは映らない。

「洗足伊織と申します。ご覧のとおり、刑事ではありません」

洗足が名乗った。野尻は無反応のままだ。

「ですからこれは正式な取り調べではありません。私はひとりの妖人として、あなたと話しにきただけです。もっとも、警察からの依頼は受けていますし、刑事たちは別室で我々の会話を見聞きしています。ですから、あなたがなにも喋《しゃべ》りたくないと思うのなら、黙っていて結構ですよ。私が勝手に喋って帰りますから」

風邪のためやや掠《かす》れた声だが、口調の滑らかさはいつも通りだ。いったい洗足はどんな時に、言い淀《よど》んだり絶句したりするのだろうか。

「ここに来る前、星さんのお宅に寄りました」

ピク、と野尻の肩がわずかに揺れた。

「母親の真由美さんと、希良々ちゃんにお目にかかってきました。話はほとんどしていませんがね。真由美さんは事件に関して語りたくない様子でしたし……まあ、こちらも話す必要はなかったので」

洗足は懐から白いハンカチを出し、口に当ててから小さな咳《せき》をひとつした。

「失礼。お聞き苦しい声ですし、端的に申し上げましょう。希良々ちゃんはあなたが産んだのではないですか？」

野尻が息を呑《の》むのがわかった。

脇坂の隣に立っている所轄の刑事も「へっ？」と間抜けな声を上げる。きっと自分もいつもこんな感じの声を上げているんだろうなと、脇坂は考える。

「な……にを、言うんです」

初めて聞いた野尻の声は、明らかに動揺がうかがえた。

「あの子は……希良々ちゃんは……星さんの……」

「ええ、法的には星夫妻の娘さんです。戸籍上も実子になっている。でも産んだのはあなたなんじゃないですか？　父親は星康弘さんですが」

「なぜそんなことを……」

「この推察に至った理由を説明いたしましょうか。信じるかどうかはあなたの自由ですが、実のところ、私はある特殊な能力を持った妖人なのです。人間と妖人を見ただけで判別できるというのが、その能力であり、だからこそ警察は私に協力を要請しています。いちいち妖人DNAを検出しなくていいから、便利なわけだ。……そして私の見たところ、真由美さんは妖人ではなかった。一方、希良々ちゃんは妖人でした」

野尻の瞳《ひとみ》が揺れて、戸惑いが浮かぶ。

「希良々ちゃんのお父さん、康弘さんが人間か妖人なのか、私は知りません。写真は拝見しましたが、直接会わないと判別できないんです。仮にお父さんが妖人だったとしても、お母さんが人間なら、希良々ちゃんが妖人になる確率は低い。ご存知のとおり、妖人DNAは引き継がれにくいんです。もちろん例外はありますが」

また洗足が咳をする。野尻は明らかに落ち着きを失い、所轄の刑事たちは「そんな、まさか」と驚いている。

「う、鱗田さん、どういうことですか」

年嵩《としかさ》のほう……確か岩見《いわみ》と名乗った刑事が鱗田に聞いた。鱗田は「うん」と顎をさすりながら、

「あの様子じゃ、図星のようだなあ」

と呟《つぶや》くように言う。

「いつから気がついていたんです？　これが本当だとしたら、星夫妻も知っているということですか？」

「たぶん知ってるだろうな。だから父親は、俺たちが事情を聞きに行った時、あんなに迷惑そうで、妻には会ってくれるなと言わんばかりだったんだ。この誘拐事件がなぜ起きたのか……そんなこた、あの夫婦はよく知ってたんだよ」

「つまり、被疑者と星康弘さんは……不倫関係にあったと？」

岩見の言葉に、脇坂は「そういうことになりますね」と答えた。

「野尻さんが妊娠・出産した時、どういう話しあいがされたのかはわかりませんが、結論として、子供は星夫妻が自分たちの子として届けを出し、育てることになったわけです。でも、野尻さんは自分の産んだ子を忘れることができず、この二年くらいで何度か希良々ちゃんとこっそり会っています。自分が母親だとは名乗らず……」

ただし、呼び名は教えた。

マム。あるいはマムちゃん。

いわずもがな、英語でお母さん、の意だ。これを希良々ちゃんが聞き違えたのか、あるいは希良々ちゃんの言葉を幼稚園の先生が聞き違えたのか……ナムちゃん、になったのではないか。鱗田はそう推察したのだ。説明されればなるほどと思うが、先生との短い会話の中だけで、その推論に行き着く鱗田はやはりすごい。

「おそらく、野尻さんは希良々ちゃんの父親に、子供に会いたいと何度も頼んだんだろう。だが、父親はそれを拒絶した。あんまりしつこいから、携帯電話の番号も変えた。それで野尻さんは隠れて会う道を選び……ある日、どうしても別れたくなくって、我が子を自分の家に連れ帰ってしまった……」

「じゃあ、希良々ちゃんは無理やり攫《さら》われたわけではない……？」

若いほうの所轄の刑事が鱗田を見る。名前は……さっき聞いたが忘れてしまった。

「少なくとも、泣き叫んで嫌がってはいないだろうよ。もしそうだったら、近所が気がついてる」

「では……本当に被疑者の子……」

「あとは、耳がな。真由美さんは福耳なんだよ」

突然耳の話になり、脇坂は「はい？」と鱗田を見た。事件とどんな関係があるというのだろう。

「……福耳って、耳たぶの大きいアレですよね？　ええと、お金持ちになれるんでしたっけ。となると、真由美さんはお金持ちに……？」

考え込む脇坂に、鱗田が「おまえ、あんまり喋んなくていいぞ」と鱗田がやや憐《あわ》れむ

ような視線を向けた。一方で岩見刑事は「ああ、耳か……！」となにかに気がついた様

子だ。ずるい、教えてほしいと思った脇坂だが、再び洗足が喋り出したので、今はそち

らに集中する。

『あなたは、自分の子供を誘拐した』

洗足はそう告げて、すぐに『いや』と言い直した。

『誘拐するつもりなどなかったのかもしれない。少しのあいだだけ、母子《おやこ》で一緒に過ご

したかった。でも一緒にいるうちに帰したくなくなってしまった。自分の子なのに、な

ぜ一緒にいられないのかと思うようになってしまった』

野尻の目に涙が溜《た》まり、それを見せまいとするかのように深く俯《うつむ》く。

『仮にこれが事実だとして、あなたがそれを言わなかったのは、希良々ちゃんをこれ以

上傷つけたくなかったからではないでしょうか。希良々ちゃんにとって母親は……』

あくまで、星真由美さんなのですから。

淡々と洗足はそう続けた。

同情も哀れみもない、ごく冷静な声だ。けれども、その奥底にはいつでも弱者に対する優しさがある。少なくとも、脇坂にはそう聞こえる。

『あの子は……希良々ちゃんは……言ってくれたんです……』

嗚咽《おえつ》混じりに、野尻は吐露した。

『もう帰りたいよね、って聞いた私に言ってくれたんです……帰りたいけど、でもちょっとだけならいいよ。マムちゃんがさみしいんなら、もうちょっとだけ一緒にいようか、って……あの子、ちゃんと分かってたんです。私がとても寂しがっていることをわかってたんです……』

それ以上は言葉にならず、机に縋《すが》るように泣き出してしまう。

洗足はそんな野尻をじっと見つめてはいたが、慰めの言葉をかけることはしない。やがて静かに立ち上がると、『あとは警察に話して下さい』と取調室を後にした。

「それで、耳ってなんだったんだ？」

夫馬《ぶま》が脇坂に聞く。

雄々しくも毛深い手が構えているフォークとナイフが、やけに小さく見える。ナイフはきつね色に焼けたフッカフカのパンケーキに食い込み、ずいぶん沈んでから、やっと切れ目が入っていく。琥珀色《こはくいろ》のメイプルシロップが流れて、カット面にじわじわと染みこんでいった。

「あ、耳っていうのはですね……夫馬さん、シロップはパンケーキを切ってからかけたほうがいいですよ。かけてから切ると、そうやって最初にカットしたところに傾斜ができるから、そっちに全部シロップが流れちゃうでしょう？　手順としては、まずバターを全体に均等に塗ってから、パンケーキを等分に切り、それから満遍なくシロップをかける。これが理想的だと思います」

「もっともだけどよ、そういうことは切る前に教えてくれよ」

「すみません。次回の参考にしてください」

「俺、そっちのスペシャルベリーも気になってるんだけど」

「もちろんシェアしましょう。僕もそっちのクラシックタイプも食べてみたいです。四分の一ずつ交換でいいですか？」

「おう」

太い首の上の、でかい顔がコクコクとうなずく。

夫馬仁美《ひとみ》。

脇坂の見たところ、身長は一九十センチ前後。体重は……九十キロくらいだろうか。がっちりした巨体に五分刈りという風貌《ふうぼう》なので、夫馬と一緒に歩いていると、正面から歩いてくる人たちがさりげなく避《よ》けていく。信号待ちしている時も、夫馬の周りだけ人口密度が妙に低くなるのが面白い。組対《そたい》……組織犯罪対策本部に所属する刑事で、身体はごついが、小さな目には可愛げがある。鱗田は夫馬を「カバみたいなオッサン」と評していたが、なるほどカバに似ているかもしれない。だが鱗田にオッサンと言われるほどオッサンでもない。聞けば三十七だと言うから鱗田よりだいぶ下だ。

そんな夫馬と脇坂は今、都内で話題のパンケーキ店の中、向かい合って座っている。可愛らしい内装の店内は圧倒的に女性が多く、ホールスタッフもみな若い女性だ。このテーブルだけ浮いていることは否めないが、それを気にする脇坂ではない。夫馬のほうは、多少居心地が悪そうにもぞもぞしていた。

「ここ、気になってたんだが、ひとりじゃとても来られねえからなあ」

脇坂の皿の隅に、四分の一に切った自分のパンケーキをのせながら夫馬は言った。

「僕もずっと来たかったんですけど、なかなか時間がつくれなくて……。あ、美味《おい》しい！　フワフワしつつ、しっとりもしてて、いいバランスです！　リコッタチーズが入ってる超フワフワ系も好きですけど、僕はもう少ししっかりした生地が好きなんですよね。早く食べないとペシャンコになっちゃうのって、ちょっと焦るし」

「俺は早食いだから、超ふわふわ系でも大丈夫だぜ。うーん、このスペシャルベリーの酸味とクリームの相乗効果がたまらんな……」

小さな目を細めて、カバ系刑事がしみじみと咀嚼《そしゃく》する。夫馬は脇坂と同じぐらい甘い物好きなのだ。もちろんKSC……警視庁スイーツクラブの会員である。ちなみに脇坂が勝手に発足させた団体であり、警視庁の公認ではない。

ふたりはしばらく目の前のパンケーキに集中していたが、少し落ち着いたところで夫馬が先程の話題を思い出した。

「脇坂。耳の話を教えろよ。福耳だとなにがどうだっていうんだ？」

「あ、はい。遺伝です、遺伝」

紙ナプキンで口の周りのクリームを拭《ぬぐ》い、脇坂は説明する。

「耳の形って遺伝が出やすい部分らしいんです。耳たぶが大きくて、顔と離れているのが福耳。耳たぶが顔側にくっついてるのが平耳」

「あぁ、聞いたことがあるな……。どっちかが優勢遺伝なんだろ？」

「そうなんです。福耳が優勢遺伝で、平耳が劣勢遺伝。メンデルの法則ですね」

星真由美は福耳だった。夫の星康弘もだ。その場合、子供も福耳になるケースが多い。祖父母の遺伝子も関係するので絶対ではないにしろ、確率として高くなる。だが、希良々ちゃんは平耳だった。

「それがなんとなく気なっていたって、ウロさんは言うんですよ」

——もちろん、耳だけで何でもわかるわけじゃないけどな。なんか観察する癖がついてんだよ……。

ぼそぼそとそう言った先輩刑事は、なんだかとても格好良く見えたのだ。

「あの人の観察力はたいしたもんだって、ウチの先輩も言ってたぞ」

「捜一あたりでバリバリやっていけそうなのに」

「上と折り合いが悪かったらしい」

「あー……、それ、なんかわかります。ウロさんて変わり者だし、不器用なところあるんですよね～。だから、その分僕が頑張って、周囲の人とうまくやるようにしないと！ 僕はほら、ちゃんと空気読めるほうだから」

自信満々に言った脇坂だったが、夫馬は微妙な顔して「いや、おまえもだいぶ変わってるぞ？」と返してきた。いささか不本意な反応に、脇坂は首を傾げる。

「……ってことは、生みの親が犯人ってことか。だが法的には他人なわけだから、罪状は変わらんだろ？」

「ですね。弁護士は情状酌量の線で行くんじゃないかなぁ」

「母親同士で摑《つか》み合って、あんな血まみれになったのか」

「それも今回はっきりしたんですけど、あれは野尻さんが真由美さんに暴力を振るったとかじゃなくて、真由美さんが足を滑らせて転倒して、希良々ちゃんを抱えていたものだから顔をもろに打って鼻血が出た……そういう顚末《てんまつ》のようです」

「なんだ、勝手に転んだのか。世間に知れたらまた騒ぎになるな。今度は育ての親が叩《たた》かれるんじゃないのか？」

「その可能性はありますね。可哀想なのは希良々ちゃんです。彼女にとってはどっちも母親なわけだし……」

脇坂は、洗足の言葉を思い出す。警察署の前からタクシーに乗り込む寸前、ぼそりと漏らした一言だった。

——子供は、母親の物《モノ》じゃない。

脇坂に言ったわけではないと思う。誰を見るでもなく、虚空に向かい、マスクの下からくぐもった声を出したのだ。洗足らしからぬ弱々しい呟《つぶや》きだったので、印象に残っている。

その呟きを聞いた時、脇坂は一瞬思ってしまった。

いいや、子供は母親のものでいいんじゃないか。子供を誰より愛しているのはやはり母親なのではないか……。そんな考えが頭を掠《かす》め、直後、はたと気がついた。違う。そうではない。確かに、母親の多くは子供を深く愛しているだろう。だが父親だって我が子を愛している。その点は同じはずだ。どっちが上ということはない。また、悲しいことだが、自分の子であっても愛せない親というのも実際に存在する。

子供を愛する親、愛さない親。

愛したいのに、うまくいかない親……。

いろいろなケースがあるだろう。そのいずれのケースにしても、子供は親のものではない。親には子供を養育する義務と責任がある。かといって、親の所有物ではないのだ。この子は私のものよ、と言い張り、取り合うべきではない——洗足はそう言いたかったのではないか。

親と子。家族。血縁者の集まり。

いや、夫婦は血縁者ではない。核家族の場合、ベースになるのは他人同士なのだ。血縁がなくとも家族にはなれる。妖琦庵に集うあの人たちにしても、みな赤の他人だが家族のように信頼しあって生活している。逆に、血が繋《つな》がっていようと反目せざるを得ないケースだって多々あるはずで…………。

例えば、奴のように。

あの男と、洗足のように。

「脇坂？」

夫馬に呼ばれ、「えっ」と顔を上げる。

「なんでそんな怖い顔でパンケーキを切ってるんだ」

「……怖い顔してました？」

「してた。パンケーキが可哀想なほどだった」

あはは、と脇坂は笑って、パンケーキに向かって「ごめんごめん」と謝る。

「ちょっと、仕事で気になってることを思い出したんです」

「おまえ、そんな顔してわりと仕事人間だよな」

「えー、顔関係ないですよ」

「まあな。……メイプルラテおかわりしていいか？」

ペロリとパンケーキを平らげた夫馬が言い脇坂はもちろんと答えた。可愛い制服の店員を呼び、自分もロイヤルミルクティーを追加注文する。

……洗足と青目《あおめ》。

ふたりの関係を聞いた時は、絶句するほど驚いた。あれからもう数か月が経つのだが、その件に関して詳しいことは聞いていない。聞くのが怖い、というのもある。洗足のほうも、まるで話したことを忘れたかのように、今までと変わらない態度だ。

「そういや、江東区《こうとう》の件は聞いたか？　Yがらみの」

店員が去ると、声を低くして夫馬が言った。Yというのは、妖人《ようじん》を示す。

「いえ、聞いてません。なにかあったんですか？」

妖人が関わる事件なのに、Y対に所属する自分が知らないのは問題だと、脇坂は少し身を乗り出して聞いた。

「いや、刑事事件じゃないんだ。だからそっちに知らせが行っていないんだろう。中年女性の自殺事件でな。相変わらず日本は自殺大国だから、それだけで驚くことはないんだが……」

さらに声を小さくして、夫馬は続ける。

「同日に、同じマンションで、二件の自殺が起きたんだよ。……あ、いや、ひとりはまだ亡くなっていないんだった。病院に搬送されて、意識不明だ」

「心中したということですか？」

「そうじゃないんだ。知り合いではないし、別の時刻に、別の方法で自殺を図っている。ふたりとも中年女性で、ふたりとも……」

「……Yだった？」

夫馬が頷《うなず》く。妖人の自殺事件──それ自体はとりわけ珍しいことではない。夫馬の言う通り、日本は自殺者の多い国だ。自殺だと断定できないケースはカウントされないので、実際には統計の数字よりも多くの人が自ら命を絶っていると考えられる。

「……Yは差別対象になりやすいので、それを苦に命を絶った例、あるいは未遂に終わった例は今までにもあるんです。でも同じマンションでというのは……珍しいですね。意識不明の方が、助かるといいんですが……」

「ああ。事件のあったタワーマンションはかなり大規模で世帯数も多いから、同日にふたりが自殺を図る偶然はあり得ると、俺も思う。ただ……」

大きくて分厚い手が、スーツの内ポケットから手帳を取り出した。夫馬も、鱗田と同じく手帳にメモする派らしい。

「属性がちょっと変わっていたんで、気になってな。おまえならなにか知ってるかなと思って。……ああ、あった。オバリヨン、どうもこうも」

「……オバリヨンがどうもこうも？」

「だから、オバリヨンとどうもこうも、だよ」

「どうもこうもじゃわかりませんよ。もう少し詳しく説明を……」

「そうじゃなくて」

夫馬が手帳を見せようとしたところで、メイプルラテとロイヤルミルクティーが届いた。大きな夫馬が、店員に小さく会釈をする。メイプルラテの表面には、可愛い猫のラテアートが綺麗《きれい》に描かれていた。

「ほら、ここを見てくれ」

ロイヤルミルクティーに砂糖を入れてかき混ぜる脇坂に、夫馬が手帳を差し出して見せる。身体に似合わぬ、小さくて細い文字だ。示されている箇所を確認して、脇坂は「ああ、そういう……」と納得の声を上げた。

《オバリヨン》と《どうもこうも》。両方とも、妖人の属性名だったのである。

「《オバリヨン》は聞いたことがあります」

頭の中の妖怪辞典を捲《めく》り、脇坂は言った。

「妖人じゃなくて、妖怪としてですけど……。夫馬さん、妖人と妖怪は違いますからね。ごっちゃにしちゃだめなんですよ。ほんと、ここは大切なとこですから」

「そんなことはわかってる。妖人属性の名称として、妖怪の名前が定着しちゃっただけだろう。だいたい、妖怪は空想上の存在じゃないか」

当然のように言われ、かつて妖人と妖怪を混同して考えていた脇坂は自分がちょっと恥ずかしくなる。だが過去を振り返っても仕方ない。自覚のない馬鹿より自覚のある馬鹿のほうが多少マシと、洗足も言っていた。

「わかってるなら、問題ないです。えっと、《オバリヨン》は……突然おぶさってくる妖怪だったかな……。《どうもこうも》のほうは初耳です」

「俺は両方知らなかったよ。このマンションの近くに交番があってな、そこに勤務してるのが、俺の後輩なんだ。事件のことを気にしてるようだから、この属性についてなにかわかったら教えてやってくれないか。おまえ、妖人に詳しい先生と親しいんだろ？」

「親しい……の、かな……？　それはともかく、僕も気になるのですぐ聞きに行きたいところですが……。風邪、治ったかなあ」

ちょっと甘くしすぎたロイヤルミルクティーを啜《すす》りながら脇坂は呟く。

見舞いと称して妖琦庵を訪れてみようか。風邪の回復によさそうな、美味《おい》しくて消化の良い手土産でも持って……。

「なにかわかったらすぐに連絡しますね」

「おう。助かる」

「……あれ、夫馬さん、ラテ飲まないんですか？」

カップの表面をじっと見つめる夫馬は「これを崩すのが忍びなくてなあ」と猫のラテアートを眺め、嘆息した。

※

「よくないねえ」

いつも飄々《ひょうひょう》とし、ふわりと楽天的な声が、珍しく深刻な色を含ませていた。

「前より悪くなってる。あの子は大きくなってはいたけれど……瘦《や》せていた。満足に食べさせてもらってないんだろう。しかもあんな恰好《かっこう》をさせられて……可哀想に」

旅装束をほどきながら、首を緩く振った。よく旅に出る人だった。私が生まれる以前は、ほとんどこの家に帰ることもなく、各地を転々としていたらしい。今はそれほど家を空けることはないが、それでも月に一度、数日間はいなくなる。戻ってくると、旅先のいろいろな出来事を私に語ってくれるのだ。

「どうしたもんか……」

ふう、と息をついて畳の上に座る。

着替えは終わり、藍染《あいぞ》め浴衣《ゆかた》を着ていた。畳の上にあった、朝顔の描かれた団扇《うちわ》を手にして、ふわりと自分に風を送る。それから私を見て微笑み「おいで」と呼んだ。私はべったりと寄り添いたかったけれど、とても暑い日だったし、あまり甘えるのも恥ずかしいような気がして、少し離れた向かいに座った。団扇が私にも風をくれる。そよそよと私の前髪が靡《なび》いた。

左目について、聞かれた。

封じられてから三か月ほどがすぎていた。化膿《かのう》することはなかったが、正直に言えば左目を閉ざす糸が攣《つ》れて痛む時もあった。それでも私は首を横に振った。弱虫だと思われたくなかったからだ。

「いいんだよ、正直に言って。まだ痛いはずだもの。もう少し上手に封じてやりたかったんだけど……慌ててしまって、あまりいい出来じゃない。だが、こればかりは医者にさせるわけにもいかなくてね。おまえの左目を封じられるのは、あたしだけなんだ」

私は頷き、今度は声に出して、そんなに痛くないよと伝えた。団扇が置かれ、白い腕が私を抱き寄せる。えらい子だ、と褒めてくれた。左目を塞《ふさ》がれ、多少の不便はあったものの、私はだいぶ落ち着いていた。一時は――見えすぎていた頃は、頭がどうにかなりそうだったのだ。

「あたしの血が強く出たかと思ったが……やはり父親の血もひいているんだねえ。おまえは人より少し苦労するかもしれないが、心配することはない。生きていくのには、いくつかのちょっとしたコツがあるんだ。あたしがちゃんと教えてあげるからね。……そうだ、次の旅は一緒に行くかい？」

私は驚き、顔を上げた。いつも必ず留守番だったのに……。一緒に行ってもいいのと聞くと「いいよ」と優しく答える。

「痛まないかい？」

「左を封じたから、右をもう少し鍛えておかなきゃね。あたしと一緒にあちこち回って、いろいろなものを見るのさ。たくさんの土地、たくさんの風……海も見せようね。それから人間。ちょっとばかし変わった人たちとも会うよ。少し変わっているから、少し生きにくくて、だからこそ手を取り合っていくのさ。きっとおまえは可愛がってもらえるよ。あたしの自慢の子だもの」

旅に出られると聞き、私の胸の中に興奮が生まれた。いつも話に聞いていた場所へ、私も行けるのだ。考えただけで胸が高なった。深い森。輝く海。遙かな島……。こんな嬉《うれ》しいことがあるだろうか。

「それから……。おまえ、あの子に会ってみるかい？」

しきりに気にかけている子供は、私と同じくらいの年頃らしい。どういう状況にあるのか、なぜそんなに気になるのか、詳しいことはわからなかったけれども、会ってみたいと私は答えた。その子の名前は何というのか。私の質問に、その人は少し困ったように「ないんだよ」と答える。

「名前をもらっていないんだ。ただ、『私の子』と呼ばれている」

そして私をギュッと抱きしめ、こう続けた。

子供はね、名前をもらえないと——人になれない。

※

なに。なあに?

なにをそんなに怒っているのよ。いやだ、あんた興奮して顔が真っ赤じゃない。可笑《おか》しい。ちょっと、泣いてるの? ますます笑えちゃう。忙しい子ねえ、怒るか泣くかどっちかにしなさいよ。

は? なにが言いたいの? 声が震えちゃってて、全然わかんないわ。金子《かねこ》? ああ、金子くんね。ええ、会ったわ。会ってちゃんと話したわ。それがどうかしたの? なに言ってるの、なんであんたを呼ばないといけないのよ。これはあたしと金子くんの問題よ。とても大事なことだから、彼を呼んでちゃんと聞いておこうと思ったのよ。

将来、あたしの世話をしてくれる気があるのかってね。

だってそうでしょ。必要でしょ。あたしはこの脚だし、もし金子くんがあんたとの結婚を真剣に考えているなら、そういうことは話しあっておくべきでしょう。

え? 何ですって?

あたしの世話をあんたがするのは当たり前でしょ。結婚しても変わらないって……やめてよ、そんな当然なこと、いちいち言わないで。あたしが聞いておきたかったのはね、もしあんたが急な病気や事故で死んじゃったとしたら、金子くんが残るわけでしょ?

そうなってもちゃんと私の世話をしてくれるかっていうところよ。つまり一生面倒見てくれるのかっていう確認。あんたと結婚したら、あたしと金子くんは親子になるんだから、老後を見るのは当然だと思うけど、最近の子はわからないからね。ちゃんと確認して、文書にして、拇印《ぼいん》のひとつももらっておかないと。ええ、ちゃんと書類も作っていったわよ。あたしは準備のいい人間だからね、知り合いに頼んで用意してもらったの。法的効力なんてどうでもいいのよ。あたしが納得できるかどうかよ。馬鹿な子ね、そんなこともわからないの？

ああ、もう、なんて顔。あんた自分の形相わかってる？　醜いったらないわ。普通にしてても不細工なのに、そんな引きつり顔じゃ目も当てられない。はいはい、そうね、あんたはあたしに似てるらしいわね。不細工なのはあたしのせいって言いたいわけ？　だとしたらとんだお門違いだわよ。顔にはね、品性っていうものが出るの。その人間の性根ってものがね。あんたが不細工なのはあんたが不細工に生きてきたからなの。だからあの程度の、貧相で小心な男しか捕まえられないのよ。がっかりしたわ、もうちょっとしっかりした、やさしい子だと思ってたのに。間抜け顔で私の話を聞いて、結局答えは『無理です』だって。『僕にはそこまでできません。結婚は諦《あきら》めます』だって。

よかったじゃない。あんな男と別れられて。

あたしのおかげでしょ？　ありがとうって言ってほしいくらいよ。

四

琺瑯《ほうろう》のミルクパンに葛粉《くずこ》と和三盆糖《わさんぼん》、水を入れる。

ガスの火をつけ、木べらでかき混ぜていく。葛粉のダマが次第に溶け、温度を上げた水に馴染《なじ》んで溶ける。ただかき混ぜるだけの単純な作業だが、気を抜いてはならない。ある瞬間から、葛粉は突然様子を変えるからだ。木べらが鍋底《なべぞこ》に当たる感触が変化する。半透明の塊が木べらの端に付着し始めるのがわかる。その塊はどんどん増えていき、やがて鍋の中身全体が、半透明のねっとりとした質感になる。火加減に注意しながら手早くさらにかき混ぜる。中途半端なところでやめると、葛粉の粉っぽさが残ってしまってよくない。鍋底から多少ふつふつと沸かせて、滑らかに仕上げる。

ほどよいところで火から下ろし、器に移す。

主《あるじ》の気に入っている織部《おりべ》の器に入れようと思ったのだが、おおぶりなそれは結構な重さがある。今は軽めで、かつ持ちやすい器のほうがいいだろう。ぽってりと白釉《はくゆう》がかかった茶碗《ちゃわん》に変えた。これならば厚みもほどよく、中身は冷めにくい。かといって器が熱すぎて持ちにくくなることもない。

とろり。

ミルクパンの中身を鍋に移し、小さな木匙《きさじ》を添える。

それらを盆に載せ、夷芳彦《よしひこ》は台所を出た。

主は——洗足伊織は、母屋の一番奥にある寝室で臥せっている。今回の風邪はかなり長引き、なかなか完治しない。一度回復しかかったところで外出したのがよくなかったのだろう。夷は止めたのだが、主はすぐれない顔色のまま、大きなマスクをして刑事たちと出かけてしまった。案の定、帰宅した頃には熱が出始めていた。

「先生」

襖《ふすま》の前で声をかける。耳をすますと、常人では聞こえない程度の、息づかいのような返事があった。起きているようだ。

静かに襖を開け、寝室に入る。

掃き出し窓の障子は閉ざされているので、まだ日中だが部屋は薄暗い。行灯《あんどん》風のスタンドライトが点《とも》され、伊織は布団の上で上半身だけを起こしていた。栞《しおり》の挟まった本が傍らにある。寝間着をまとった薄い肩を見て、芳彦は軽く眉《まゆ》を寄せた。

「起きているなら、何か羽織ってください」

お小言を聞いた主は、やっぱり言われた、という顔をして「半纏《はんてん》が見当たらないんですよ」と言い訳をする。

「茶の間に置いたままなんじゃないんですか」

「かもしれない。……それは葛湯かい？」

芳彦が布団のそばに膝《ひざ》をつくと、伊織が器の中を覗《のぞ》き込んでくる。立ち上る湯気に噎《む》せ、芳彦から顔を背けて何度か咳込《せきこ》んだ。弱った喉《のど》粘膜は温度や湿度の変化に敏感になっているのだ。咳が落ち着くと、葛湯の入った器を芳彦から受け取りながら「ここにいるとうつるよ」と、少し掠《かす》れた声を出す。

「うつりませんよ。私が先生から風邪をもらったことがありますか？」

「……そういや、ないね」

「おかげさまで、先生よりだいぶ丈夫にできています。熱いですから、気をつけて召し上がってください」

「うん」

伊織は匙にふぅふぅと息を吹きかけてから、葛湯を口の中に運ぶ。とろみを強くしてあるので、飲むというより食べる感じだ。

「ゆっくり召し上がって下さい。火傷《やけど》しないように」

「うん。……うまいね」

「それはよかった」

「うまい」

二回も言い、その後は黙々と食べている。気に入ってもらえたようだ。

主が風邪をひくたびに、芳彦はこうして葛湯を作る。

マメに作ってやることもあり、その場合は小豆《あずき》をまぜたりもする。とはいえ、マメも丈夫な体質で風邪などめったにひかない。おやつとして出すのだ。

　この家で臥せることが一番多いのは、主である伊織に他ならない。とくに寒い時期は体調を崩しやすい傾向がある。不摂生をしているわけでもないので、そういう体質なのだろう。匙を口に運ぶ横顔は顎《あご》のラインはさらに細くなったようだし、葛湯を嚥下《えんげ》する喉の白さときたら、静脈が透けるほどだ。

　普段は凜《りん》とした風情を湛《たた》えた人である。

　細い体軀《たいく》だが、体軸は弦でできているように、しなやかで強い。だが体調を崩せば、その弦も多少は緩む。伊織だって人なのだから、当然のことだ。芳彦は自分の着ていたカーディガンを脱いで、主の肩に羽織らせる。いつもの伊織ならば「自分のを着るからいいですよ」と言いそうだが、今日は黙ってされるがままだ。

「ごちそうさま。……ああ、身体の内側から温まった」

「なによりです。もっとちゃんと食べられそうですか？」

　食欲があるなら、うどんなり雑炊なりを作るつもりでいたのだが、伊織は「今ので充分」と肩からずり落ちそうになった紺色のカーディガンを指先で支える。

「早くよくなっていただかないと……。マメも先生が食卓にいないと寂しいと言っています」

「ふぅん。寂しいのはマメだけなのかい」

「またそういうことを。私にも寂しいと言わせたいんですか」

「ちょっと聞いてみたいね」

「百回言って治るなら、言いますけどね。……ふたりぶんの食事は、量的に作りにくていけない。熱は？　下がったんですか？」

結局、『寂しい』という言葉はいわずにごまかしたが、伊織にはお見通しだろう。にやにや笑いながら「さっき計ったら、七度七分だった」と答える。

「どうもあたしの風邪はだらだらと長引いていやだよ。体温が上がりきらないから、免疫もよく働かないんだろう。いっそ、パッと高熱が出ればいいのに」

僅《わず》かに顎を上げて自嘲《じちょう》する主の顔に、つかのま見とれる。

影ができるほど長いまつげと、絶妙な鼻梁《びりょう》のライン。いいかげん見慣れたはずの美貌《びぼう》だが、やや寝乱れた髪のせいか、妙に色めいて映る。目病み女に風邪引き男……そんな古い言い回しを思い出す。目を患っている女と風邪を引いている男は色っぽく見える、という意味だ。片方の目を封じられている伊織は、言ってみれば目を患っているわけであり、しかも風邪を引いているのだから、相当に色っぽく演出されたことになる。

「今日は暖かいのかい？」

庭に面する腰付障子を見て、伊織がぽつりと零《こぼ》した。障子が開いていれば、蹲踞《つくばい》のあたりが見えるはずだ。

「いいえ。曇ってて、むしろ寒いくらいです。春なのに」

「そうかい。早く海棠《かいどう》が見たいね」

海棠。

その言葉は、芳彦の脳裏にひとつの風景を浮かべさせる。

花吹雪の中に佇《たたず》む少年。

喪服を着て、白い布で包まれた箱を抱え、不思議そうな顔で芳彦を見ていた。

「……あの日も、海棠がずいぶん散っていた」

主もまた、芳彦と同じ光景を思い浮かべているようだ。

花びらの舞う中、少年は葬儀場から帰ってきたところで、抱いていたのは彼の母親の骨壺《こつつぼ》だった。

――あなたは、誰ですか。

少年は芳彦を見て尋ねた。

自分よりずっと年下の少年の質問に、芳彦は咄嗟《とっさ》には答えられなかった。あまりに整った容貌に驚いていたのもあったが、それ以上に、言葉では表しがたい感覚が身の内を貫いていたからだった。

「あの時、おまえはひどく驚いた顔をしていたね」

芳彦ではなく、見えない庭に顔を向けたまま伊織が言う。

「驚いていました。父の言ったとおりだったので」

「なんて言われていたんだい？」

「すぐにわかる、と。言葉も説明もいらない。その人に会ったら否応《いやおう》なくわかってしまう。おまえの頭ではなく、おまえの身体が理解する……」

この人こそ、我が主《あるじ》だと。

一生を捧《ささ》げ、尽くすべき相手だと。

「がっかりしなかったかい。相手が貧相な子供で」

「それは謙遜《けんそん》のつもりですか？　ちょっと見ないほど、きれいな男の子でしたよ。ですがまあ、顔も年齢も関係ありません。《管狐》《我々》にとって、それらはたいした問題ではないんです」

確かに年齢差はあった。

今現在、芳彦と伊織の外見はほとんど年齢差なく見える。だが出会った当初、つまり伊織が十六歳の少年だった頃、芳彦はすでに成人男性の容貌であり、今とさほど変わらない外見だったのだ。マメのような《小豆とぎ》は、外見の成長が一定のところで止まるタイプのネオテニー型なのだが、《管狐》は第二次性徴後の老化が遅くなる傾向が強い。芳彦の実際の年齢は伊織以外は知らない。脇坂あたりが事実を知ったらひっくり返って驚くかもしれない。

「そんなことより……主に巡り合えただけで、僥倖《ぎょうこう》です。私は一族からずいぶん羨《うらや》ましがられましたよ。タリ様の息子に仕えられるなんて、と」

タリというのは伊織の母だ。

十六で母親を亡くし、伊織は天涯孤独の身の上となった。父親には会ったことがなく、顔も名前も知らないという。連絡の取れる親戚《しんせき》もおらず、けれどタリは多くの妖人《ようじん》にとって恩人だったため、葬儀にはかなりの弔問客が訪れたようだ。父の名代として葬儀に参列するはずだった芳彦だが、諸事情あって遅参してしまい、遺骨を持って帰ってきた伊織と初めて出会ったわけである。

「葬式の三か月後には、おまえはここにいたね」

「はい。主のおそばにいるのが仕事ですから」

「……おっかさんが死んだ時、あたしはまだほんの小僧だったたし、おまえがいてくれてとても助かった。おまえはあたしを大切に扱ってくれたし、家のことも完璧《かんぺき》にこなしてくれたからね。……でも、正直なとこ、今でもよくわからないんだよ。おまえがあたしになぜそうしてくれるのか……。《管狐》にとって、主がどれほど重要な存在なのか、ピンとこない」

　前髪を搔《か》き上げ、伊織が苦笑いを見せた。マメにはあまり傷を見せないよう気を遣っている伊織だが、芳彦には晒《さら》すことを厭《いと》わない。それが芳彦にとってどれほど嬉《うれ》しく誉であるか、この人は理解していないだろう。

「ずいぶん今更なことを仰《おっしゃ》いますねえ。……言葉で説明するのは難しいですが、強引にまとめれば、つまり眷属《けんぞく》気質ということでしょう。気質というより体質に近いのかも。眷属の意味は、ご存知のとおりです」

「眷属神、というと神の使者だね。仏の脇侍《きょうじ》や、仏を守る神のことでもあるが……ただ眷属といえば、血縁者や家族、または従者」

「そうです。私たちの一族は、誰かに属することに生きる意味を見いだすんです。自分の人生を、主に預けることを幸いと感じるわけです」

「……ほんとに？」

「なんで疑うんですか」

「疑うというか、やっぱり不思議だよ。あたしなんかに人生預けちゃっていいのかね」

「本人がいいって言ってるんだから問題ないでしょう」

「なんで怒るんだい」

「怒ってませんよ」

「怒ってるよ。おまえ、怒ると耳がちょっと動くんだもの」

そう指摘され、芳彦は思わず自分の耳を触る。その姿を見て伊織がクスクスと笑った。

「……カマをかけましたね」

「耳が動くのは本当だよ。……まあ、おまえがあたしを主というのだから。きっとそうなんだろう。残念ながらあたしは、自分の運命の従者を見分けるという能力を備えていないから、おまえの言葉を信じるしかない」

「まるっと信じていただいて結構ですよ。私の主は先生であり、先生の眷属は私です。かつ、眷属はひとりで充分です。間違っても甲藤の言葉に惑わされたりしないように」

「ああ、《犬神》ね」

すっかり忘れていたというような口調だった。

「眷属がふたりになると、なにか不都合なのかい？」

「複数の眷属が仕える場合もありますよ。ですが、眷属同士の相性によってはトラブルの原因にも」

「ふうん。つまり芳彦は甲藤くんと気が合いそうにないわけだ」

「合うと思いますか？」

「思わないし、あたしもああいう手合いは勘弁願いたいところだ。ただ……」

伊織はなにか言いかけて、だが結局「いや。まだわからないか」と呟《つぶや》くと、口を閉じてしまった。その肩からカーディガンがするりと落ちてしまう。芳彦がもう一度着せかけようとすると「横になるからいいよ」と布団を捲《めく》る。

ちょうどその時、芳彦の鋭い聴覚は玄関に近づく足音を拾っていた。

あの歩き方は脇坂だ。洗足家に呼び鈴はないので、こんにちは、いらっしゃいますかと声を上げている。伊織には聞こえていないのだろう、枕に頭を預けて瞼《まぶた》を伏せた。

「脇坂さんがいらしたようですよ」

そう伝えると、伊織は目を閉じたまま額に皺《しわ》を刻む。

「あたしはもう寝たよ」

「そうお答えしましょう。今、マメが話しているようですが」

「……一応、用件だけ聞いてきておくれ。くだらない用事だったら蹴飛《けと》ばして追い返すといい」

芳彦は立ち上がりながら「蹴飛ばしたりはしませんけどね」と、いったん伊織の部屋を出た。ちょうどマメが廊下を歩いてくるところで、芳彦を見つけると「あの、脇坂さんが」とパタパタと歩み寄ってきた。

にゃあさんが一緒に駆け寄ってきたので、芳彦はつい後ずさる。

このでっぷりした猫にもだいぶ慣れてきたし、最近はなんとか触ることもできるようになってきたのだが、駆け寄られるのはまだなんとなく怖いのだ。

「脇坂くんは玄関で待ってるんだね？」

ぶみぃ、とにゃあさんは脇坂の横を通りすぎた。別に脇坂めがけて走っていたわけではないらしい。

「はい。先生は具合が良くないとお伝えしたんですが、これだけでも聞いてくれませんかって……」

マメが芳彦に紙片を手渡す。

手帳の一ページを切り取ったような紙片に、脇坂の文字が書かれていた。丸っぽい字を書きそうな男だが、実際のところ文字はなかなかしっかりしている。

その文章を読んで、芳彦は顔をしかめた。主のことだから、これを読めば脇坂に会うと言うに決まっている。

「……やれやれ。なるべく疲れさせないように、寝室で会ってもらうとしよう。マメ、納戸から座椅子を出して、先生の寝室に運んでくれるかい？」

「はい。お茶の支度もしておきますか」

「いや。あの部屋に長居されるのは困る。あとで、茶の間で出してあげなさい」

「わかりました」

マメが納戸に向かっていく。

芳彦は茶の間を経由してから主の寝室に戻り、メモを見せる。案の定、伊織は脇坂に会うと言った。

こうなっては仕方ない。止めて聞くような主ではないのだ。

せめて短時間ですませるよう脇坂に頼み込んでおかなければ……そう思いながら、伊織に半纏《はんてん》を着せかけた芳彦だった。


オバリヨン。

あるいは、バリヨン。

新潟県三条《さんじょう》市に伝わる妖怪《ようかい》で、『バリヨン』は土地の方言で『負われたい』という意味だそうだ。つまり、おんぶしてくれ、と要求しているわけである。昔のアニメに『おんぶおばけ』というのがあるそうだが、それもまたオバリヨンからきているのだろう。もっとも、かなり古い作品なので脇坂は見たことがない。

夜道をひとり歩いていると、オバリヨンが出て、背中に飛び乗ってきて頭を齧《かじ》るのだという。そのために夜道を行く時は金の鉢をかぶったほうがいいだとか、オバリヨンをそのまま家に連れ帰ると、金の入った瓶だった、などという話もある。こうなると、おぶったほうがいいのか、おぶわないほうがいいのか迷うところだ。似たような例として、ウバリヨン、オボサリテイ、バロウ狐などの妖怪が昔話の中に登場する。

電気のない時代、夜道の暗さと怖さは現代人の想像を超えるものだったはずだ。たったひとりで夜道を歩いている時、もしや後ろに誰かいるのでは……と想像してしまう気持ちは、脇坂にも理解できる。そういった人間の想像力がオバリヨンという妖怪を生みだしたのではないだろうか。

そして、どうもこうも。

これはかなり変わった妖怪である。妖怪というか、昔話に登場する化け物だ。

石川県、長野県、高知県などで知られているらしい。腕の立つふたりの医者がその技術を比べあおうとした。ところが同時にお互いの首を切り落としてしまったため、どうにもこうにもならなかった——という、思わずツッコミを入れたくなるような話である。

なんで首を切っちゃうかな……と思うのは脇坂だけではないはずだ。文献によれば、熊本県八代《やつしろ》市の松井《まつい》家に伝わる『百鬼夜行絵巻』にその姿があり、ひとつの身体にふたつの首がついた化け物として描かれているそうだ。

「……というところまでは自分で調べたんですが、これはあくまで妖怪の話なわけで、妖人としての《オバリヨン》と《どうもこうも》が実際にいるのかどうかを、先生にお聞きしたかったんです。前回に引き続きまして、お加減の悪いところを申しわけありません」

正座のまま頭を下げるという形にも、だいぶ慣れてきた脇坂である。

会ってもらえないかもしれないと思っていたので、家の中に、しかも洗足の寝室に通された時にはちょっと驚いた。茶の間に入ることですら、初めのうちは文句を言われていたというのに。

「そう。お加減が悪いんですよ、あたしは」

布団の上に座椅子を置き、背もたれに寄りかかって洗足は言う。

昼間だというのに、八畳間は薄暗い。和紙の貼られたスタンドライトの灯《あか》りがなければ、洗足の表情もよくわからなかっただろう。もちろん楽しそうな顔のはずもなく、かといって恐ろしく不機嫌とまではいかない、ある意味安定のつまらなそうな顔だ。

「だが、きみの頭のお加減は三六五日よろしくないようだし、妖人に関わることならば聞かざるをえないかと思ったら……《オバリヨン》に《どうもこうも》？」

こき下ろされていてもつい聞き惚《ほ》れる美声には、今ひとつ張りがない。青白く浮かぶ顔色に、珍しく乱れた髪……それでもやっぱり色男という言葉をあてはめたくなるのだから不思議だ。脇坂が風邪をひいたところで、小汚くなるだけなのに、なぜこの人は病に臥していても絵になるのだろうか。

「なにぼんやりしてるんだい」

軽く睨《にら》まれて、脇坂は「すみません」と肩を縮めた。見とれている場合ではない。あまり長居をするなと、さっき夷に釘《くぎ》を刺されたところなのである。

「早く説明しなさいよ。どんな事件が起きたって？」

「事件と言いますか……その、《オバリヨン》と《どうもこうも》の女性ふたりが、自殺を図ったんです」

「自殺？」

「はい。しかも同日に、同じマンションで」

洗足の視線が脇坂から外れ、しばし虚空を眺める。いつもならばここでパチンと扇子を閉じる音が聞こえそうなものだが、今日の洗足はなにも持っておらず、白い手は布団の上に置かれているだけだ。

「ひとりは命を取り留めて、今は病院にいます。ふたりは知り合いではなく、それぞれ違う方法で自殺を試みました。事件性はないとされているんですが……なんだか妙にひっかかってしまって」

同じ日。同じマンション。ふたりともが、妖人。

「例えば、ふたりが属性不明の妖人だったなら、たぶんここまで気にならなかったんだと思うんです。でも、《オバリヨン》と《どうもこうも》なんていう、かなり珍しい妖人となると、不自然というか……」

先生、と脇坂はやや身を乗り出す。洗足は脇坂に横顔を見せたまま、動かない。

「《オバリヨン》と《どうもこうも》は、実在する妖人なんでしょうか」

妖人属性は、妖怪や伝説の生き物の名称を借りている。だからといって、古今東西の妖怪すべてが、妖人として存在するわけではないのだ。

「いないね」

ひとつの瞬《まばた》きのあと、静かな答えがあった。

「あたしは会ったことがないし、あたしのおっかさんも見ていないし、話に聞いたこともない。もっとも《オバリヨン》のほうは、極端に数が少なくて、遭遇していないという可能性もある。人におぶさりたがる性質の妖人……その程度の奇行ならば、人間に混じって生きながらえることはできるだろう」

「でも、後ろから突然ガバッとおぶさってくるなんて、相当変わった人ですよ？　痴漢か暴漢と思われて通報されかねない」

「まあ、都会だとそうなるだろうがね。……もうひとつ、『おぶさりたい』という性質を別の意味として捉《とら》えることもできる」

「スキンシップが好きという意味だとか？」

「いいや。依存心が強い、という意味だ。無論、依存心が強い人は妖人だろうと人間だろうといる。それが後天的に形成された性格の問題ではなく、生まれついての性質で、かつ常軌を逸した依存心の強さだった場合……そういう妖人は《オバリョン》と呼ばれてもおかしくはない」

なるほど、と脇坂は感心した。そういえば、なにからなにまで他人にやってもらうことを『おんぶに抱っこ』などと表現する。

「だがまあ、いる可能性は低いでしょうよ」

「先生、《どうもこうも》のほうは……」

「そっちは、いるいない以前の問題だ。ふたりの愚かな医者の話は、自画自賛を窘《たしな》める教訓譚《たん》にすぎないし、『百鬼夜行絵巻』の絵も合点がいかない。ふたりの医者は、それぞれの頭を落としてしまったんだろう？」

「はい。ですから本来、首のない身体がふたつ描かれているはずなんですよね」

なのに、ひとりの身体にふたつの顔がついている絵があるというのだ。辻褄《つじつま》があっていない。

「首を落とした直後、慌ててひとりがふたつとも自分の身体にくっつけた……という解釈もできるが、いささか無理がある。いずれにしても、こんな妖怪は妖人属性として使いようがないだろう。頭がふたつある妖人が存在するなら、話は別だが」

そんな人がいたらめちゃくちゃ目立つに決まっている。妖人が人間の中にまじって長く暮らしてこられたのは、外見が人間とそう変わらないからなのだ。もちろん中には例外もあるだろうが、それにしたって頭がふたつというのは無茶だ。

「ということは、ふたりとも虚偽の属性申告をした……?」

「虚偽とは言いきれない。偽ったのではなく、単に勘違いしただけかもしれない。何をどう勘違いしたらそうなるのか、あたしにはさっぱりわからないが」

「属性不明にしなかったということは、なんらかの理由があってのチョイスだったと思うんですよ……うーん、なんで《オバリヨン》と《どうもこうも》だったんだろう……妖怪マニアでレアな妖怪を使いたかったとか……」

「独り言なら帰ってからにしてくれませんかね」

「あ、すみません。……先生はどう思われます? これってただの偶然ですかね」

「知りませんよそんなこと。そもそも自殺ならY対の出る幕じゃないでしょうが。わざわざ自分で事件を作りたがるなんて、きみはどこまでヒマなんです? 爪楊枝《つまようじ》の名古屋城はできたのかい」

「名古屋城も大阪城も作ってません。ついでに言っておくとボトルの中の帆船とかも作ってませんので。……確かにY対の管轄外なんですけど、なんかこう、気になるんですよ。背中の、手の届かないところがムズムズするような……。これはいわゆる、刑事の勘ってやつじゃないかと」

「ちゃんと風呂《ふろ》で背中を洗うべきだね」

「洗ってます。僕、背中洗い用のブラシ持ってるんですから。ちゃんと天然毛で、優しい使い心地なんですよ。ゴシゴシすると色素沈着の原因になりますからね！」

得意気に説明すると、洗足はプイと顔を背けて「剣山で洗えばいい」などと恐ろしいことを呟《つぶや》いた。

「そんなことしたら血まみれに……いや、僕の背中はどうでもいいんです。先生、この自殺事件に不審を抱いてるのは僕だけじゃないんですよ。ウロさんもおかしいって言ってるんです」

「ウロさんが？」

洗足が背けていた顔を戻し「それを早く言いなさいよ」と脇坂は叱られる。

「ウロさんが不審に思っているのなら、それなりの理由があるはずだ。ウロさんは何を気にしてるんです？」

それを説明するためには、まず二件の自殺についての詳細を語る必要があった。正式に協力を仰いでいる刑事事件ではないので、本来民間人である洗足に話すべきではないのだが……そんなためらいは今更だ。洗足の知恵を借りたいならば、すべてを打ち明けるべきと脇坂は決心した。

「自殺の現場は、マンションでした。グランビューセントラルという、江東区にある大規模なタワーマンションです」

順を追って、説明する。

「亡くなったのは小田垣貴子《おだがきたかこ》さん。五十九歳、部屋は207号室。三十四歳の娘さんとふたり暮らし。自宅の風呂場でリストカットし、失血死しました。推定死亡時刻は四月七日の午前二時から三時頃とされています」

夜中にひとり、手首を切ったものと思われる。

「小田垣さんは脚が不自由で、そのことを気に病んだ遺書が残されていたそうです。いつも娘に迷惑をかけて申しわけないと……」

洗足は目を閉じ、黙ったまま聞いている。

「そしてもうひとり、同日の午前七時五十分、同じマンションの誉田敏美《ほんだとしみ》さんがマンションのサービス棟の屋上から投身しています。五十五歳で、夫とふたり暮らし。自殺を図った当日、旦那《だんな》さんは留守にしていたようです」

グランビューセントラルには、サービス棟という比較的低層の建物がある。文字通り、住民のサービスのための施設が入っているビルだ。コンビニ、カフェ、保育所、いくつかのクリニックや住民専用の会議室、ミニシアターまであるらしい。

低層といっても7階建てだが、住居棟は32階建てなのでそれに比べればずいぶん低い。住居棟の屋上に立ち入ることはかなり難しく、専門の業者が設備のチェックで入るくらいだ。だが、サービス棟の屋上は鍵《かぎ》さえあれば入れる。もちろんフェンスが張り巡らされているのだが、乗り越えることは可能らしい。

「ただ、誉田さんがどうやって鍵を入手したかは不明なままです。飛び降りた下には灌《かん》木《ぼく》の茂みがあって、それがクッションになって命は助かったものの……現在も意識不明の重体で、話を聞ける状況ではありません」

「……遺書は」

「こちらはありませんでした。同じマンションに娘さんが住んでいるのですが、聞いても自殺するような心当たりはないと」

「………で？」

「は？」

「は、じゃないよ。それで、どっちがどっちなんだい」

「ですから、小田垣さんが手首を切って、誉田さんは飛び降りを……」

「きみの頭にはオカラかなんかが詰まってるのかい？　脳として役にたたないなら、今すぐに取り出して、うちの家令に美味《おい》しく煮つけてもらいなさい。ニンジンとしいたけとこんにゃくでも入れるといい」

「い、いえ、それは困ります。僕の脳なんか美味しくないと思いますし………。ええと、あの……そうか！　す、すみません。あの、小田垣さんが《オバリヨン》で、誉田さんが《どうもこうも》です」

やっと洗足の質問の意味を解して、脇坂は慌てて言う。言いながら「あっ」と新しい事実に気がついた。

「せ、先生の仰《おつしや》ったとおりです。小田垣さんは……《オバリヨン》の小田垣さんは、脚が不自由なせいで、同居してる娘さんに依存していたのではないでしょうか！」

「いまここに油性マジックがあったら、きみのおでこに『短絡的』と書きたい気分だ。あたしの言葉に振り回されないで、自分のオカラでちゃんと考えなさい。今の情報だけでは、小田垣さんが娘さんに依存していたかは判断できない。そもそも、娘に過剰に依存するような人が、それを苦にして自ら死を選ぶのか、あたしはそこがひっかかるね」

「……うーん、それもそうですよね……」

「小田垣さんはどの程度の障害を抱えていたんだい」

「脚が悪かったとあるだけで、詳しいことは……」

「調べてない、と。やれやれ……そんな中途半端な状況で、風邪っぴきのあたしを叩《たた》き起こして、刑事事件かどうかもわからない案件について質問したわけですか。いい度胸をしているねえ、脇坂くん」

「すみません、ほんとすみません……ちょうど今頃、ウロさんが聞き込みをしているところなんです。僕もこのあと合流します」

「それで、ウロさんが不審に感じた点は？」

「あ、ええとですね。場所です。誉田さんが飛び降りに選んだ場所……サービス棟の屋上ですが、そこが」

「低すぎる？」

洗足の言葉に、脇坂は「あ、当たりです」と頷《うなず》いた。

「驚くことはないでしょうが。死ぬために飛び降りるなら、7階という高さは中途半端ですよ。事実、誉田さんは亡くなっていない。彼女の目的が死ぬことだったなら、失敗してしまったわけです」

「でも、深刻な悩みを抱えていたり、鬱《うつ》のような状況だったとしたら……衝動的に飛び降りてしまうことも、考えられるんじゃないでしょうか」

「考えられるね。衝動的な行動なら、3階からだって飛び降りるかもしれない」

「それなら」

「しかし鍵はどうするんだい。誉田さんはなんらかの方法を使って屋上の鍵を入手した。つまり計画的だったわけだ。衝動的ではない」

「あ」

的を射た指摘に、脇坂は言葉を失った。そうなのだ。屋上の鍵は管理会社によって管理されていて、住民といえどそう簡単に入手できるものではない。当日、扉の錠が物理的に壊されていた様子はなかったし、鍵が紛失した事実もないと報告されている。ということは、事前に鍵を入手して複製を作ったと考えるのが妥当だろう。明らかに計画的なのだ。

「そこまで用意周到な誉田さんなのに、なぜ7階という半端な高さを選んだのか……」

脇坂にではなく、独り言のように洗足が呟く。

「変、ですよね……。誉田さんの場合、遺書は残されていないし、娘さんの話ではとくに変わった様子もなかったそうです」

「家族の話だけではわからないよ。家族にすら言えない、あるいは家族にだからこそ打ち明けられない事情があったのかもしれない。そもそも、誰かに相談できるくらいなら、自殺という最終手段には辿《たど》り着きにくいはずだ。……薬物を使用していた可能性は？」

「病院で検査をしていますが、そういう報告はないです」

「誉田さんも小田垣さんも、自分が妖人《ようじん》だと知っていたわけだろう？　それと今回の事件の関連性は？」

「えっと、そのへんはたぶん今頃ウロさんが……」

くぐもった声で脇坂が言うと、洗足は眉《まゆ》をひそめた。

「またウロさん任せかい。情報が少なすぎる」

やや声を張ったせいか、直後に噎《む》せ始める。薄い背中から半纏《はんてん》が滑り落ち、脇坂は慌てて、それを再び洗足に着せかけた。間近に寄ると、かすかに洗足のにおいが感じられた。汗をかいているからだろうか。決して不快なにおいではない。なかなか咳《せき》が治まらないので、背中を摩《さす》ろうとすると片手で制される。

「……いいから……離れなさい。うつる」

「平気です。僕こう見えて丈夫なんですよ。胃腸は頑丈だし、風邪もひきにくい体質なんです。インフルエンザはやりましたけど」

それでも洗足は、シッシッと犬でも追い払うような手ぶりをして「うっとうしい」と酷《ひど》いことを言う。脇坂が元の位置に戻ると、枕元にあった水差しからグラスに水を注いで喉《のど》を潤す。

やがて咳が鎮まると「だいたいね」と怖い顔で脇坂を睨《にら》んだ。

「ここに来るのが早すぎるんですよ。なんで新米のきみがここにいて、ベテランのウロさんが足を使って調べてるんですか。逆でしょうが。靴底をすり減らすべきはきみのほうです。あたしに聞きにくるにしても、もっと情報を集めてから来てほしいもんだ。とりあえず妖琦庵に行っとくか、的なノリで来られても困るんですよ。うちはコンビニじゃないんです。肉まんもおでんも売ってないんですからね」

「こんな怖い店主のいるコンビニはないと思います……」

「誰が怖いって？」

「いえ、あの、その……」

しどろもどろの脇坂を一瞥《いちべつ》したあと、洗足は顔の向きを変えた。今度は障子戸を見て、「それから、きみ」と厳しい声を出した。まるで庭に向かって話しかけているようだが……障子はすべて閉じられているので、なにも見えない。

「いつまで盗み聞きしてるつもりだい。面倒くさいから多少放置していたがね、それを黙認と勘違いされては困る」

まさか、と脇坂は立ち上がった。

失礼します、と伊織の布団の足側を回って、庭に面した障子の前に立つ。障子を開けると、ガラスの掃き出し窓だ。いつもの茶の間から見る時とは、違う角度で中庭を眺めることになる。

奴がいた。

甲藤だ。

妖琦庵へと続く飛び石の中央あたり、黒い革のブルゾンを着てポケットに手を突っ込み、やや決まり悪そうな顔で立っている。

「盗み聞きなんて、してないスよ」

子供が言い訳するような口調だった。

「だってさ、俺がここにいることなんてバレバレだろ。先生のお膝元《ひざもと》で盗み聞きなんて無理なんだ。俺はただ、いつものように御機嫌うかがいにきただけで……先生の風邪が治ったかも気になってたし……」

「勝手に中庭に入る時点で、もうアウトだろ」

脇坂が言うと、ムッとした顔で睨みつけてくる。

「うるせえよ。てめえの庭かよ」

「僕の庭じゃないけど、きみの庭でもないじゃないか」

「なにでしゃばってんの、おまえ。たった今まで先生に叱られてたくせに。さっさと仕事に戻れよ、使えん刑事《デカ》」

「……なんだと？」

脇坂は気色ばみ、掃き出し窓を開けて靴を履かず庭に降りかけたが、背後から「馬鹿者、寒い！」という洗足の声が聞こえて、慌てて再び閉める。

「きみはあたしの風邪を悪化させる気かい。もういいから、さっさと帰ってウロさんを手伝いなさい」

「でも先生、あいつ僕たちの話を聞いていたんですよ？」

「そりゃそうだろう。甲藤くんは《犬神》だよ。聴覚に関してはうちの家令なみだ。一言一句もらさず聞いていただろうさ」

淡々と述べる洗足に、甲藤は「いやいや、俺は夷さんほどじゃないです」となにやら嬉《うれ》しそうにしている。

「言っておきますがね、甲藤くん。ここで聞いたことを他言したら、こちらもそれなりの対処をしますよ」

「言いません、言いません」

「二度返事をする人は、今ひとつ信用できないねえ……」

「ホントですって！　俺、先生の言うことだけは聞きます。誰にも言わないし、もう帰ります。今日はこれ置きに来ただけなんです。ホントにホントに！」

甲藤は早足で歩み寄り、濡《ぬ》れ縁の上に背の低い瓶のようなものを置いた。そのまま数歩後ずさって止まり、「お邪魔しました！」と勢いよく頭を下げる。

いつのまにか、中庭の片隅では夷が吊《つ》り目を光らせていた。甲藤はそっちにも頭を下げると、ごまかし笑いを浮かべたまま、庭を立ち去っていく。

「脇坂くん」

洗足がガラス越しに瓶を指さした。取れ、ということだろう。

脇坂は窓を開けて瓶を手にし、部屋の空気が冷えないようにすぐに戻る。瓶はそこそこ大きく、ジャムを入れる容器に似ていて、中に入っているのもジャム状のものだった。ラベルなどは貼っていない。

「なんだろう、これ……」

「よこしなさい。……ああ、ショウガだね。蜂蜜《はちみつ》漬けだろう」

洗足の白い手が瓶を包み「自分で作ったらしい」と呟《つぶや》いた。

「甲藤の手作り？　先生、いけません。そんなの食べちゃだめです。なにが入ってるかわからない」

息巻く脇坂に、洗足は呆《あき》れた口調で「そういうことを言うもんじゃない」と諭した。

「きみは馬鹿だが、情はある人間だと思っていたんだが……どうやらあたしの思い違いだったらしい」

「でも、あいつは先生に取り入ろうとして……」

「そう。風邪をひいたあたしの御機嫌を取ろうとして、こんなもの作ってきた。ショウガは体を温め、風邪によいとされている。彼の故郷はショウガがよく取れる高知県だ。

あるいは、子供の頃に、彼も母親に作ってもらったのかもしれない。……その母親も、とうに亡くなっているはずだが」

「……………」

脇坂は無言で俯《うつむ》いた。

息巻いていた気分が急速にしおれ、恥ずかしくていたたまれない気分にすり替わる。洗足に言われるまでもなかった。甲藤のことは気にくわないが、彼なりに洗足を心配してこれを作ってきたのはわかる。洗足が警察署まで来てくれた時、柚子茶《ゆず》を出した脇坂と同じなのだ。脇坂が出した柚子茶は、オーガニックの高級品だが市販のものだった。そして甲藤は自分で作ってきた。料理などしそうにない奴なのに、作ってきたのだ。

ああ、そうか。

脇坂は気づき、愕然《がくぜん》とした。

甲藤に負けた気がしているのだ。なにに関する勝ち負けなのか、のぼせた今の頭では判断がつかないが、とにかく負けた。このイライラと焦燥は、敗北感のなせる業なのだ。

そんなふうに感じている自分が情けなくて、さらに落ち込む。

「なに下ばかり見てるんだい脇坂くん。畳の目に素敵なものでも落ちているならともかく、違うならしゃんとしなさい」

「……はい……すみません……僕も、お暇《いとま》を……」

こんなショボくれた顔を洗足に見せていたくない。

そう思って立ち上がりかけた脇坂を「待った」と洗足が止める。

「ひとつ仕事ができたから、それをすませてから行くように」

「え」

戸惑う脇坂をよそ目に、洗足は「芳彦、いるかい」と夷を呼ぶ。いつのまに中庭から戻ってきたのか、夷はすぐ顔を出した。洗足は夷に、甲藤の持ってきた瓶を渡すと、とんでもないことを言い出した。

「ショウガの蜂蜜漬けらしい。ショウガ湯にして、脇坂くんに出して」

「…………えっ？」

脇坂は耳を疑い、夷は「はい」と瓶を持って立ち上がる。

「えっ、ちょっ……あのっ、先生⁉　なんでそうなるんですか⁉　どうして僕が飲むことに⁉」

再びぺたんと畳に座り、あたふたと聞く脇坂に、洗足はしれっとした顔で「毒味役だよ」と答えた。

「だ、だって先生はさっき、そんなの食べちゃだめだって言った僕を窘《たしな》めて……」

「人として、ああいうことは言うもんじゃないからね」

「なのに、自分で試さないって……」

「試すわけないでしょうが。甲藤くんの気遣いは理解したが、かといって食べて大丈夫かどうかは別問題だよ。それにあたしは今喉《のど》が痛いんだ。ショウガは刺激が強すぎる」

「だからって、なんで僕が」

「胃腸が頑丈って言ってたじゃないか」

言ったけど。

確かに言ったけど、でもだからって——。

なにをどう言い返せばいいかわからないうちに、夷がショウガ湯を持ってきてしまう。丁寧に茶托《ちゃたく》までつけられた湯飲みを差し出し、「さあ、どうぞ」と夷が笑う。いつでも含み笑いをしているような表情の家令だが、今はそれとはべつの、楽しそうな顔になっている気がする。

「遠慮はいらないよ、脇坂くん」

洗足までがにっこり笑って言い、脇坂は退路を断たれたのを自覚した。

※

時々考えるの。

愛について考えるの。

私はおまえを愛しているの。誰よりおまえが大切で、おまえのためなら命なんか惜しくないし、おまえの命は私の命も同然だし、むしろ私とおまえの命が分かれていることが不思議。

だっておまえは、もともと私の中にいたのよ？

私とおまえは、ひとつだったの。ごっちゃだったの。別々なんかじゃなかった。ものすごく一体感があった。ああ、あの頃は幸福だったわ。とてもとても充実していたわ。私の身体の中に流れる血液が、おまえに栄養を運んでいた。おまえは私に依存していて、私は優れた守り手だった。私以外におまえを守る者はいなかった。

美しい世界。

閉じられた完璧《かんぺき》な王国。

王国は完結していた。おまえと私だけで満ち足りていた。あの人のことすら思い返すことは少なかった。あんなに夢中になったのに。あの人なしでは生きていけないと毎日涙に暮れていたのに。

でもおまえを得て、私は完璧になれた。世界のすべては輝いていて、私は間違いなく世界で一番美しかった。自分のお腹が膨らんでいくのを不安に思う人もいるようだけれど、私にはその気持ちはわからないわ。自分の中に他者がいるのが怖い、なんていう人もいるみたいだけれど、思わず笑ってしまったわ。

他者なんかじゃない。

これは私の一部。私の血肉。私の所有物。

自分から生まれてきたものは、自分にほかならない。とても単純なことなのに、それを理解しない人は気の毒ね。

私から出てきた、血まみれの、ぬるぬるのおまえ。

愛《いと》しいおまえ。愛しいもうひとりの私。

つまり愛とはそういうことね。おまえは私だから、私はおまえを愛するの。とてもシンプルな理屈でしょう？　他人なんか愛せないわ。だって他人だもの。自分じゃないもの。確かにあの人に夢中になった頃はあったけど、それはきっと愛じゃなくて、執着というものだったのね。

執着は悪で、愛は善よ。だからあの人なんか、帰ってこなくてもいいの。

私はおまえがいればいいの。自分の身体がひとつしかないと、自分を愛することは難しいけれど、今はもう大丈夫。私にはおまえという自分がいるから。私は私を愛しているから、おまえをこんなに愛しているの。

なんて可愛い子。

私の子。

もうひとりの私。愛する私。

おまえは私より若い私。私を引き継いで生きて行くのよ。だから私は安心して年をとれる。死ぬことだってもう怖くないわ。おまえがいるんだから、私は終わらないの。

私の可愛い子。宝物。宝石ちゃん。

そうだわ、ひとつ言っておかなくちゃね。

まだ小さいから、よくわからないだろうけど聞いておいてね。おまえが私の続きを生きるために、私がおまえの中で生き続けるため——とてもとても大切な儀式。

約束してね。

私が死んだら、私を食べてね。

※

尊属殺人罪ってわかります？

自分や配偶者の直系尊属、つまり、両親や祖父母を殺した場合、通常の殺人罪より重い刑が用意されていました。無期懲役か死刑。そのどちらかです。他人を殺すより親を殺すほうが重罪だったわけですね。ええ、今はこの法律はありません。でも刑法が改正されたのは一九九五年ですから。そんな大昔の法律ってわけでもないんですよ。まあ、よくないですよね。親殺し。親でも誰でも、殺しちゃいけません。ふふ。

……子殺し、ですか？

子殺しに尊属殺人罪は適用されませんでした。子供っていうのは尊属じゃないんです。言葉としては卑属になります。そう、卑しい、という文字です。自分より後の世代という意味で、法律の世界では今も普通に使われている言葉です。

尊属殺人罪があった時代、卑属殺人にも重い刑が用意されていたかといえばそれは違いますね。むしろ軽かったようです。殺人罪ではなく、過失致死罪になったりね。殺意はなかった、という解釈です。

どうしました？

納得いかないという表情になっていますよ。

ええ、そうですね。親と子で言えば、圧倒的に子供のほうが弱者です。なのに法は弱者を守ってくれなかった。親殺しは厳しく罰するけれど、子殺しは見過ごしていたと言ってもいいくらいだ。昨今になってやっと、家庭内で起きる、子供への虐待などが問題視されるようになりました。統計的に数がかなり増加していますが、私は思うんですよ。子供を虐待する親の数というのは、急に増えたわけではない。ただ表面化していなかっただけです。見えていなかっただけなんですよ。今だって、すべて見えているわけではない。虐待されている子はまだまだいるでしょう。悲しいことです。周囲から見てわかるような虐待ならば、手の打ちようがあるかもしれません。身体的な暴力の痕跡《こんせき》があれば、学校の先生が気がつくかもしれない。けれど精神的な虐待の場合は難しいですね。親自身、虐待しているつもりなどまったくない場合も多い。我が子を愛しているからこそ、厳しい言葉で躾《しつ》けるのだと思い込んでいる。

しかし、子供の心は打ちのめされている。否定され、罵倒《ばとう》され、怒鳴りつけられ——子供は心を殺されているんです。それでも子供は親を許します。毎日毎日自分の心を殺す相手を許してしまいます。許すしかないんです。子供というのは、親がいないと生きていけない存在だからです。自分を産んでくれた親を否定するというのは、子供にとって至難の業です。

中には、親から逃げられる子供もいます。親との絆《きずな》を断ち切って、新しい人生を始めるのです。けれど、そうできない子のほうがずっと多い。

私は精神科医として、心に傷を持つ多くの人たちと話してきました。最近思うのは、子供の頃に親から受けた傷から回復していない人が多いのです。ひとつひとつは、虐待といえるほどのものではなく、だからこそ本人たちも深刻に捉《とら》えていなかった。けれど浅い傷だって、積み重なれば骨まで届く日が来る。大人になり、独立しても、いまだに親の呪縛《じゅばく》から逃げられずに苦しむ人は多い……とりわけ母と娘の関係は難しいようです。そう、あなた方のように悩んでいる人はたくさんいらっしゃいます。

苦しかったでしょう？　ずっとずっと、誰にも言えないでいたんですよね？

いいんですよ。ちっともおかしいことではない。母親を憎いという気持ちは異常ではないのです。自分を責めてはいけません。あなたたちはちっとも悪くなかった。あなたたちのお母様にも悪気はなかったでしょう。あなたたちを愛していたというのは本当でしょう。けれど、愛していると言いながら、悪気なくナイフを振り回す人を許す必要があるでしょうか？　毎日少しずつ、心を殺されていた可哀想な少女……昔のあなたたちを、何とかして救ってあげなければなりません。

ええ、ユキさん。

そうしなければ、幸せになれませんよ。

ええ、カオリさん。

そうしなければ、あなたは娘に同じことをしてしまうかもしれません。

五

人が自ら死ぬのは、なかなか難しいものだ。

これならば絶対死ねるという方法もいくつかあるだろう。それには緻密《ちみつ》な計算と周到な用意が必要だ。あるいは実行に相当な勇気が必要な死に方もある。もっとも、それだけの気力がある人は、そもそも死のうとは思うまい。死の誘惑に負けるのは弱者だ。人生のすべてに疲れきり、自分がこの世に存在している理由がまったくわからなくなる——そんな精神状態の時、人はどんな方法で死を選ぶのか。

「うーん……やっぱり、今まで見聞きしてきた一般的な自殺方法をとるんじゃないですかね。リスカとか、飛び降りとか」

鱗田の疑問に、脇坂はそう答えた。

妖人《ようじん》女性の自殺、ならびに自殺未遂のおきたタワーマンションへと向かっている道すがらである。駅から続く道にはまだ新しそうなスーパーや、今時風のカフェも多い。続いていた寒さが緩み、今日は春らしい日和だ。

「脇坂、おまえ日本で一番多い自殺方法って知ってるか？」

「はい！　知りません」

「そんな堂々と答えるなよ……首つりだ」

白っちゃけた黄緑色のネクタイ（本人いわく、パステルグリーンだそうである）をした脇坂が「えっ、いまだに？　なんか古風ですね」と言う。

「俺が調べたのは何年か前だが、おそらく変わってないと思う。道具があまり必要なく、ひとりで実行できて、自宅で行える……そのへんが理由なのかもしれんな」

「確実性はどれくらいなんです？」

「失敗することも多いだろうよ。失敗の統計はないからわからんがな」

鱗田のすぐ横を、母親と娘らしきふたり連れがすれ違った。十歳前後の女の子は髪をお団子に結って、白っぽいタイツを穿《は》いている。最近の子は本当に手足が長くスタイルがいい。

「バレエのレッスンかな」

脇坂が微笑みながら女の子を振り返って言った。

「ボールなんか持ってなかったぞ」

「そっちじゃなくて、踊るほうですよ。頭、シニョンだったでしょう？」

「しにょん？」

「また今度ゆっくり説明します。話を戻しますけど、リストカットも死ぬ確率は低いと聞きました」

ああ、と鱗田は頷《うなず》く。

「手首の表面近くに見えているのは細い静脈だからな、切ってもまず死ねない。太い静脈を切れたとしても、死に至るまでの出血量になるにはかなり時間がかかる。それを待っているうちに血が止まっちまうケースも多いしな」

「動脈を切ることができたら？」

「切れたら死ぬ確率は格段に高くなる。だが深い場所にあるし、動脈を探しているうちに神経を傷つけることになるから……壮絶に痛いらしいぞ」

「うわあ……怖いですね」

「怖いよ。死ぬのは怖いことなんだ。人間てのは、そういうふうにできてる」

生き物の身体は、死を避けるようにプログラムされているのだ。人や動物が痛みを感じるのも、それが身を守るための危険信号として役立つからだと聞いたことがある。生きようとすることは、すべての動物に備わった本能なのだ。

それでも――自ら死を選ぶ人がいる。

仕事がら、凄惨《せいさん》な経験をした人々を見てきた。それに打ち勝った人も知っている。打ち勝つことはできず、命を絶った人も知っている。人は誰しもが強いわけではない。もう終わらせたいと思った弱者を、鱗田は責める気にはなれない。

「つまり、今回のリストカットは珍しい成功ケースということですよね。成功っていう言葉は変だけど」

「監察医が感心するほどの、見事な切れっぷりだったそうだ。血が乾いて止まらないように、浴槽にお湯を溜《た》めて手首をつけていたし……。事前にアルコールを摂取している。睡眠薬も飲んでいた」

「事前にいろいろ調べたんでしょうか。ネットとかで」

仮にそうだとして、リストカットで死ぬための知識は得られたとしても、そのとおりに実行することができるものだろうか。しかも、アルコールを摂取していたのだから、酔っていたはずなのだ。

どうにも釈然としない。

飛び降りのほうも、リストカットのほうもだ。

鱗田は今一度手帳を見返した。

誉田敏美、五十五歳、主婦。サービス棟の屋上から身投げし、現在も意識不明のままだ。３２０４号室、つまり最上階の住人で、夫とふたり暮らし。娘が同じマンションの３１１０号室に住んでいる。妖人台帳上の属性は《どうもこうも》……こんな妖人、鱗田は聞いたこともなかった。

もうひとりは小田垣貴子。五十九歳で、娘とふたり暮らし。部屋は２０７号室。脚が不自由なのを嘆いた遺書らしきメモが残されている。見事なリストカットを成し遂げたのがこの女性だ。妖人属性は《オバリヨン》である。

いくつかの疑問点を解決すべく、鱗田は現場に赴いたわけである。

「大きなタワーマンションですねえ」

脇坂が高層ビルを見上げて言う。

ふたりはすでにマンションの敷地内に入っていた。整然と芝生が植えられた、ちょっとした広場がある。敷石風の小道にあるベンチでは、子供連れの母親たちが談笑していた。子育て中とは思えないほどに、お洒落《しゃれ》な身なりに整えている。

「ええと、まずはサービス棟ですよね。あっちです」

最近鱗田は、ふたつめとなる脇坂の長所を見つけた。この男は方向感覚がいい。一度地図を見れば、自分の進むべき方向がすぐにわかる。足で捜査をする刑事にとって、大切な感覚だ。ちなみにひとつめの長所は運転がうまいことで、こちらは刑事にとっては、わりとどうでもいい。

「ああ、刑事さんですね。はい、会社から聞いてます。お疲れ様です」

愛想のいい管理員が頭を下げた。

五十代半ばくらいに思える男性で、杉下《すぎした》と名乗る。

「今回のことは……本当に驚きました。飛び降りた方、また意識が戻ってないそうですね。助かるといいんですが……」

「誉田さんとご面識は？」

鱗田の質問に「いいえ」と答える。

「この規模のタワーマンションになると、住民みなさんの顔を覚えるのはなかなか……。

管理組合の役員さんとは定期的に会いますが、ほかはなにかトラブルがあった時くらいでして」

まず屋上を見てみたいと申し出た鱗田に頷き、三人でサービス棟のエレベータに乗る。この建物には管理室のほかに、保育所やコンビニ、クリニックなどの施設も入っていると杉下は説明した。

「ということは、結構人の出入りがあるわけですね？」

「はい。でも屋上に出るには暗証番号と鍵《かぎ》が必要なんです」

7階に到着し、エレベータを降りた。

「このフロアには会議室などがあります。管理組合の話しあいが行われたり、住民の要望があればお貸しすることもできます。この上が屋上ですが、まずここの扉から屋上に繋《つな》がる廊下に出る必要があります。この扉は暗証番号式になっていて、番号はひと月ごとに変わります」

「暗証番号を知っているのは？」

「私のような管理員、それから管理会社のセキュリティー担当者、あとは管理組合から申し出があれば、お教えするケースもあります」

「防犯カメラ……これがちゃんと作動していればなあ」

脇坂が、天井を見て言った。杉下も頷き「そうなんですよね。事件の前日から調子が悪くなってて……」と答える。

「杉下さん、カメラの調子が悪いことを誰かに話しましたか？」

「どうだったかな。今までも時々あったんです。接触の問題でしょうか、ほっておいてもすぐに直るので今回もつい……あの、それって、なにか問題になるんでしょうか」

恐る恐る聞く杉下に「いえ、そういうわけではないですが」と鱗田は答える。隣で脇坂が「あっ」と大発見でもしたかのような顔をする。

「もしかしたら、誉田さんは防犯カメラが故障していることを知っていたんでしょうか。カメラに映れば、管理員さんが気がついて、自殺を止められてしまうかもしれない。でも故障していればその心配はない……」

「なるほど、あり得ますね」

杉下は感心したが、鱗田はなにも答えなかった。脇坂の推測は当たっているかもしれないが、そうだとしたらどうやってそれを知ったのか？　いずれにしても、誰かがそれを誉田さんに教える必要があるのだ。あるいは、その誰かが故意にこのカメラを故障させた可能性もある。

「カメラはもう、ちゃんと修理しました。それで、ここに四桁《けた》の暗証番号を入れますと、扉が開きます」

杉下は実際に暗証番号を入力して扉を開ける。扉の先にまた通路があり、資材置場というフダのついたドアが向かって右にあった。さらに、突き当たりには両開きのスチール扉が見える。

「あれが屋上へ出る扉です」

杉下が言い「そしてこれが鍵」と鍵を見せてくれた。一般的なディンプルキーだ。

「誉田さんがどうやって開けたのか……合鍵は持っていなかったと、おまわりさんに伺いましたが」

「ええ、衣服を調べましたが持っていませんでしたね。周囲に落ちていた形跡もない」

「じゃあいったいどうやって……」

杉下はしきりに首を傾げる。

鱗田と脇坂は屋上に入れてもらい、現場を観察した。フェンスが張り巡らされているが、大人ならば越えられない高さではない。

「もともと住人は立ち入り禁止ということになっていますから、この程度のフェンスなんです。もっと高くて厳重なものにしておけば、誉田さんはあんなことをなさらなかったのかな……私も管理会社の人間として胸が痛みます……」

杉下は鎮痛な顔をしてうつむいた。

ひととおり見て回り、鱗田と脇坂はサービス棟を後にした。住居棟に移動し、まずは2階に赴く。亡くなった小田垣さんに関して、近隣の住民に話を聞くためだ。そのあとは、最上階の32階でも、誉田さんについて同じように話を聞いてまわった。

「なんか、変ですよね」

自販機で買ったコーヒーを片手に脇坂が言う。

昼食を食べ損ねていたので、立ち食いの牛丼をかきこんだあとである。牛丼屋の前が駐車場になっていて、そこのベンチに腰掛け一休みしているところだ。

「ウロさんの言ってた違和感ていうのが、だんだん僕にもわかってきました。サービス棟の屋上、実際に見てみると、7階ってそんなに高くない。いやもちろんそれなりの高さはあるけど、ここから落ちたら絶対に死ねるっていう自信は持てない……」

「実際、誉田さんは死ねなかったしな」

「ですよね。あと、自殺の動機もなあ……。同じフロアに住んでる人みんな口を揃えて『あの方が自殺するなんて信じられない』だったし」

――いつも堂々となさって、はきはきした、頭のいい方ですよ。

――悩み？　あるようには思えませんでしたけどねえ……。

――お孫さんもとても可愛くって、でも甘やかさずに躾《しつ》けたいって仰《おっしゃ》ってました。ええ、とてもきちんとした方なんです。

誉田さんの評判はこんなところだった。医師をしている夫は仕事が忙しく、あまり帰ってこないが、同じマンション内に娘と孫がいる。娘の夫もやはり医師で、現在は単身赴任中という話だ。

「まあ、本人にしかわからない事情があったのかもしれんが」

ズズッと鱗田はコーヒーをすすった。まだ熱くて飲みにくい。缶を右手で持ったり、左手に持ち替えたりする。

「一番解せないのが『カデンツァ』の件です」

「……かんでつぁ？　誰がそんなこと言ってた？」

ええっ、と脇坂が目を見開いて鱗田を見る。

「3203号室の奥さんが呟《つぶや》いてたじゃないですか。せっかく『カデンツァ』の予約もしたのに、無駄になってしまったわ、って」

「……あれは家電の話じゃなかったのか。なにか新しい家電商品を買ったって話なのかと思った」

「家電じゃなくて『カデンツァ』。青山《あおやま》にある、なかなか予約が取れないって評判のイタリアンレストランですよ。僕、先週末、電話して断られたばかりです」

「そんな有名なレストランなのか」

「一般的に有名というより、食べ歩きが好きで、かつお金を持ってる人が知ってる感じですかね。僕が電話した時点で、半年先まで予約埋まってましたよ。その『カデンツァ』に行けるのに、自殺を図るなんておかしいですよね！」

「というか、自殺を考えてるほどの悩みを抱えてる人間が、話題のイタリアンレストランに行こうとするのが不自然だな……」

「それに、誉田さんの場合は遺書もないし。娘さんに話を聞ければよかったんだけど……留守でしたね」

「病院に行ってみよう。毎日欠かさず見舞いに来ているらしい」

「はい。どうやって屋上へ出たのかも気になります。カメラの件も、よく考えてみたらあのタイミングで故障って都合がよすぎるような」

「よく考えてみなくてもそうだろうが」

「もしかして、誰かが自殺幇助《ほうじょ》したんですかね？　屋上の鍵と防犯カメラは、協力者が必要な気がします」

「自殺を手伝ってくれる誰かがいたなら、7階から飛び降りるのは止めると思うぞ」

「あ、そっか……うーん、いい推理だと思ったんだけどな」

「俺たちは推理なんかしなくていいんだよ」

やっと冷めてきたコーヒーを持ったまま立ち上がり、鱗田は言った。時間がもったいないので歩きながら飲むことにする。小田垣さんの娘にも会って話を聞きたかったのだが、インターホン越しに『体調が良くないので』と断られてしまったのだ。かなり沈んで暗い声だった。

「えー、刑事なのに推理しなくていいんですか？」

脇坂も立ち上がり歩き始めた鱗田の後ろについてくる。足の長さに差があるので、すぐに追いつかれてしまって多少悔しい。

「刑事がするのは推理じゃなくて捜査だ。推測することが無意味だとは言わないが、それに振り回されると事実を見失う。……俺なんか頭が悪いからな。自分の推理や憶測はあんまり信じないよ。ひたすら捜査して、小さな事実を重ね上げるだけだ」

とはいえ、鱗田にしても無意識のうちに推理してしまうことがしばしばだ。ただそれを口に出すことは、証拠が出てくるまでは控えている。口に出すことによって、自分がその推理に引きずられるのが怖い。

誰だって自分の考えていることが正しいと信じたい。

それが人間というものだろうし、一般人ならばそれでもいいだろうが、鱗田は犯罪と向き合う刑事だ。できる限り主観は排除しなければならない。例えば今頭の中に浮かんでいるひとつの推測も、まだ口にする時期ではないと思っている。

「でもウロさん、刑事には勘が必要だって言ってましたよね」

「勘は推理とは違う」

「勘のほうがもっと、あてにならない気がするけどなあ」

「あてになるように、勘を磨け」

「それって磨けるもんなんですか」

「わからん」

言い放つと、脇坂が「無責任だなあ」と苦笑した。

実のところ、鱗田は脇坂の刑事としての勘は悪くないと思っている。勘というものを、特別な電波を受信するアンテナと仮定するならば、鱗田のアンテナとは違う電波を受診するのが脇坂なのだ。だからこそ、コンビとして成立する。

……などと言葉にすると、このお調子ものはすぐ図に乗るのであえて黙っていた。

「ああ、『カデンツァ』、行きたいなあ」

話題のレストランやスイーツに目がない若造はそうぼやいたあと、鱗田を見て「でも牛丼も好きですけどね」と屈託なく笑った。


「あさの、みこ、です」

まだ幼いのに、滑舌よくはっきりと言う。瞬《まばた》きの少ない、大きな目に見つめられながら、脇坂は優しく「こんにちは」と返す。

「僕は、脇坂、洋司です」

「わきたか……？」

「わきさか。言いにくい？」

おさるのぬいぐるみを抱えたその子は、しばらく難しい顔で考え込んだあとで「がんばる」と答えた。とても可愛らしい。

「みこちゃんは何歳？」

「よんさい。……わきたかさんは？」

頑張っているが、やはり言えていない。脇坂は笑いそうになるのをぐっと堪《こら》え「僕は今年で二十七歳。みこちゃんよりだいぶお兄さんです」と答えた。

「にじゅうななさいって、おとな？」

「うん、大人だよ。………………たぶん」

答えたはいいが、自分は本当に大人になれているだろうかと考えると若干の不安もある。法律的な定義としての成人は二十歳なわけだが、中身に関しては今ひとつ自信がない。精神年齢的にも大人になれているといいのだが。

病院の待合スペースである。

鱗田は今、この子の母親……つまり誉田さんの娘、浅野《あさの》カオリさんと話をしている。誉田さんの容態はいくらか安定し、集中治療室から個室に移ったものの、いまだ意識は回復していない。

「おばあちゃま、もうずうっとねてるの」

おさるを胸に抱え直し、母親が赤ん坊にするように、背中をトントンと優しく叩《たた》いてみこちゃんは言う。

「ママがかわいそう。おばあちゃま、はやくおきてあげればいいのに」

「そうだね。早く起きるといいね……」

「ママ、ずうっとげんきないの」

「そっか……」

みこちゃんはブルーのチュニックに、水玉模様のタイツ、アイボリーのショートブーツを履いている。派手さはないが、高級な子供服なのは布地や縫製を見ればわかった。編みぐるみのおさるはクタクタになっているが、きっとお気に入りなのだろう。

「みこちゃん、おばあちゃまってどんな人？」

「どんな？」

きょとんとした顔で、隣に座る脇坂を見上げる。そうだよな、どんなって言われても困るよなと脇坂は反省した、幼い子供なのだから、もっと具体的な質問にしなければ答えにくいだろう。

「おばあちゃん、おもちゃやお菓子いっぱい買ってくれる？」

「おたんじょうびと、クリスマスにかってくれる」

「そうなんだ。いいね。他の日は？」

「きまったときしかだめなの。おもちゃをかいすぎると、じょうそうに、わるいえいきょうがでるから。……ねえ、わきたかさん、じょうそうってなに？」

「えっ。じょうそう……情操かなあ。感情、みたいな意味だったと思うけど……ええと、きもちとか、こころ？」

「おもちゃはこころによくないの？」

「うっ……ううーん、どうだろう……」

「でもピアノはじょうそうにいいの」

「あ、うん。音楽は情操にいいよね。みこちゃん、どんな曲が好きなの？」

みこちゃんは少し恥ずかしそうに、流行《はや》りのアニメの主題歌を告げた。それなら脇坂も知っている。小さく口ずさむと、嬉《うれ》しそうに一緒に歌う。こんな時、子供はつい大きな声を上げてしまいがちだが、まだ四歳のみこちゃんは病院内で騒いではいけないとわかっているらしい。小さな声でふたりは歌いきり、やっぱり小さく拍手をした。

「わきたかさん、じょうず」

「ありがとう。みこちゃんもすごくじょうずだよ」

「うふふ。あのね、みこのみみはすごくいいんだって、ピアノのせんせいいってた」

「ピアノの先生が？　それはすごい」

確かにみこちゃんの音程はとても安定していた。もしかしたら、絶対音感があったりするのだろうか。

「でもおばあちゃまは、こういううたはあんまりすきじゃないの」

「そうか……」

「ママはすき。だからいっしょにうたうんだけど、おばあちゃまにはないしょ」

「うん、ないしょだね」

嬉しそうにしていたみこちゃんだが、突然眉《まゆ》を曇らせて、「これってうそつき？」と脇坂に聞いた。

「え？」

「うそつきになる？　わるいこと？」

ものすごく不安そうな声を出すので、脇坂は思わずみこちゃんの顔を覗《のぞ》き込み「大丈夫」と請け合った。

「内緒は、嘘とは違うよ。だから悪くない」

「ほんと？」

「ほんと」

しっかり目を見て答えると、みこちゃんはやっと安心してはにかんだ笑みを見せる。

どうやら脇坂のことを気に入ってくれたらしく、そのあともしばらくお喋《しゃべ》りをした。みこちゃんの話によると、誉田さんはなかなか厳しいおばあちゃんらしい。少なくとも、べたべた甘やかし何でも買い与える祖母ではなかったようだ。

鱗田に仰せつかった子守役を楽しくこなしていた脇坂だったが、みこちゃんが「おトイレ」と言い出した時には困った。ひとりで行かせて大丈夫なのか、それともまだお手伝いが必要なのかわからない。必要だとしても、脇坂は女子トイレに入るわけにはいかない。

「ええと、少し我慢できる？」

「うん」

脇坂はみこちゃんを抱え上げ、ひとつ上の階へと急いだ。誉田さんの病室があるフロアだ。ノックをすると、落ち着いた女性の声で「はい」と返事がある。

　ドアを開けて顔をのぞかせ、

「あの、みこちゃんがトイレに行きたいようです」

　と母親に伝えた。パイプ椅子に座っていた母親はすぐに立ち上がり、「すみません」と脇坂から娘を受け取る。疲れた様子で顔色が悪く、目の下にクマができていたが、それでも美人だった。派手さはないが、身なりもきちんとしている。みこちゃんをしっかり抱っこして「おトイレ行こうね」と、優しく微笑む。

　窓辺に立っていた鱗田が、廊下に出てきた。

「どうでした？」

　脇坂が聞いてみると、先輩刑事は首を大きく一周回しつつ「うーん」と唸《うな》る。

「お母さんの自殺に、とくに心当たりはないそうだ。金銭的なトラブルもないし、持病もない。性格的には正義感が強く、勝ち気で、自ら命を絶つタイプではないと言っていたな。ただ、唯一、夫のこと……つまり娘さんからすると父親だな。その話だけは、歯切れが悪かった」

「そういえば近所の人も、旦那《だんな》さんの姿はほとんど見かけないって言ってましたよね。屋上の鍵《かぎ》の件は？」

「まったく心当たりがないそうだ」

「誉田さんの旦那さんには会えないんですか？」

「連絡先を聞いてある。……おい、なんか子供の声がしたぞ」

脇坂もそれを聞いていた。ママ、ママ、と半泣きで呼ぶ声だ。緊急性を感じて、女性トイレに走り込んだ。脇坂より先に看護師が入っていて、床に倒れ込んだ浅野さんに声をかけている。

「大丈夫ですか？　聞こえますか？」

看護師に呼びかけられて、浅野さんは目を開ける。弱々しい声で「すみません……突然真っ暗になって……」と答えた。まだ目の焦点が合っていない。車椅子を持ってくるといった看護師に、

「あ、僕が運びます。怪しいものじゃないです」

脇坂が申し出、身分証を見せる。

浅野さんを抱え上げ、必死に泣くのを我慢しているみこちゃんに「大丈夫だよ」と声をかけた。そのまま看護師に誘導され、空いているベッドに運ぶ。傍らにいるみこちゃんに、浅野さんは「大丈夫」と弱々しく言っていた。

あとの処置はプロに任せて、脇坂は廊下に出た。ちょっとした騒ぎになったので、入院患者たちがちらちらとこちらを見ていた。パジャマの上にピンクのガウンを着たおばあさんが「可哀想にねえ」と脇坂に向かって言う。

「あんた、親戚《しんせき》の人かい」

「あ、いえ、ちょっとした知り合いというか」

「あの娘さんね、毎日来て意識のないお母さんのそばに何時間もいるんだよ」

おばあさんは、腰のあたりを摩《さす》りながら話す。

「前に泣いているのが聞こえてね。お願いだから早く目を覚まして、お母さんお母さんって……聞いてるこっちのほうが泣けてくるよ」

「そうなんですか……」

「なのに、旦那のほうはたった一度見舞いに来たきりだ。ああ、旦那というか、あの娘さんからすると父親だね。その時、聞いちゃったんだよね。その父親、娘に言ってた。意識がないなら来たってしょうがないだろって……そんなのってあるかい。人ってのは、そういうもんじゃないよねえ」

「あ、はい。そうですよね」

脇坂に詰め寄るおばあさんを、ほかの看護師が苦笑いで「はいはい、高橋《たかはし》さんお部屋に戻りましょう」と連れていく。どうやら、病棟内のスピーカー的な人物らしい。

「ウロさん、聞きました？」

「ああ。誉田さんは旦那と不仲だったのかもしれんな」

「それが自殺の原因でしょうか」

「旦那と不仲で自殺しなきゃならんなら、自殺者は今よりずっと増えるだろうよ。とはいえ、なにか関係してるかもしれないがな。……まあ、この際、自殺未遂の原因はどうでもいいんだ」

「えっ？」

脇坂は耳を疑った。

「じゃあ僕たち、いったいなに調べてるんです？」

「うん。出よう」

病院内では話ができないようだ。廊下を歩き出した鱗田に「先に行っててください」と声をかけ、脇坂は今一度みこちゃんのもとへ行った。なんだか気に掛かっていたのだ。母親の病室の前で、みこちゃんは不安そうに立っている。

「みこちゃん、大丈夫だよ。ママはちょっとクラッときちゃっただけなんだ。大人は疲れると、時々そんなふうになるんだよ」

かがみ込んで、みこちゃんに言う。

「ママ……つかれてるの……とっても……」

「うん。早く元気なるといいね」

「ばちがあたったんじゃないよね……？」

「ん？」

目を真っ赤にしているみこちゃんを、脇坂はよいしょ、と抱き上げた。ふわふわの髪の毛が頬に当たって少しくすぐったい。

「てんていさまのばちがあたったんじゃないよね……？」

「先生様？」

誰のことだろう。

先生に、さらに様までつけるということは相当偉い人なのだろうか。いずれにしても、親孝行な浅野さんに、ばちなど当たるはずもない。

「ばちなんか当たってないよ。ママはおばあちゃまのお見舞いを一生懸命して、それで疲れちゃったんだ。ママはとても優しくて偉いんだよ」

「ママはわるくないよね、ただしいよね？」

「うん、正しい正しい」

こんなに小さいのに善悪を気にするなんて……本当にしっかり躾《しつ》けられているんだなと感心する。母親も真面目な人だからこそ、毎日見舞いに通い、疲れきってしまったのだろう。看護師が病室から出てきて、みこちゃんに「ママが呼んでるわよ」と声をかけた。脇坂は看護師にみこちゃんを託し、バイバイをしてから、早足で鱗田を追う。

鱗田は1階の会計待ち合いに佇《たたず》んでいた。

「おまえ、子供受けいいんだな」

みこちゃんとのやりとりを見ていたらしい。

「女の子だからですよ。僕って女子受けいいんです」

「そのわりにもてないよな」

「そこ、触れちゃいけないとこです」

ふたり並んで病院を出る。もう夕暮れ時だ。

「さっきの話……あれ、どういう意味ですか。自殺の原因はどうでもいいって」

「あー、どうでもいいって言い方はまずかったな……もし、誉田さんに深刻な悩みがあって飛び降りたりしたんなら、それは気の毒なことだよ。俺にはなんにもできんが、本当に気の毒だと思う」

　背中をやや丸めて歩きながら鱗田が言う。歩道沿いにソメイヨシノが植えられていて、もうほとんど散ってしまっていた。花びらの吹きだまりはこんもりとしたピンク色だ。

「そろそろおまえさんには言っておくが……俺なぁ、これ、自殺じゃないって気がしてるんだよ」

「え」

　脇坂は立ちどまってしまうほどに驚いた。

「ちょっと待ってください。自殺じゃなかったら他殺になっちゃいますよ？」

「おまえね、そんなこと言うとまた短絡的だって先生に叱られるぞ。自殺じゃなくて、事故って線もあるだろ」

「あ……あ、そうか。すみません」

　再び歩きだし、すぐに鱗田に追いついた脇坂だが、

「ま、今回は他殺だと思ってるけどな」

という鱗田の声に再び止まる羽目になる。他殺ということは……殺人未遂事件ではないか。

「おい、いちいち止まるな」

「は、はい。でもウロさんがびっくりさせるから……」

「そんなに驚く必要もないだろ。とくに誉田さんのケースは今までわかったことを考えると、自殺のほうが不自然なんだよ。遺書はない、自殺の動機もはっきりしない、7階という半端な高さを選んでる、防犯カメラは作動していない……」

「確かに……あ、でも待ってください。そのうちのいくつかは他殺だとしても不自然です。ちゃんと殺したいなら、やっぱり7階は選ばないんじゃないですか？」

「……ふうん。おまえもちっとは刑事らしくなってきたな。そのとおりだ。その点は俺も引っかかってる」

褒められて、にやつきそうになる頬を押さえながら脇坂は「それに、サービス棟の入口のカメラは壊れてなかったし」と続けた。

「犯人、そっちにはバッチリ映っちゃいます」

「だな。だがまあ、サービス棟にも結構な人の出入りはある。配達業者のふりをして入ることも可能だし……マンションの住人ならばもっと自然に入れるだろ」

「……同じマンションに犯人が？」

「ないとは言いきれん」

「………」

脇坂は黙して考えた。他殺の可能性を探るとなると、『自殺未遂の原因』ではなく『殺されそうになった原因』を探さなければならない。

「容態が回復してくれればな……看護師の話だと、意識が戻る可能性は半々だそうだ。戻ったとしても、なんらかの障害が残るかもしれん」

「殺人未遂事件として、捜査してみますか？」

「難しいな。他殺だという証拠もないんだ。自殺が不自然だから他殺の線で、なんて言っても上は納得しないだろうよ」

「けど、ウロさんの勘はよく当たるし！」

「外れることも多いんだよ。外れた時はいちいち言わないだけで」

飄々《ひょうひょう》とした口調で先輩刑事は言い、肩に載った桜の花びらを指先で払い落とす。

「小田垣さんくらい、はっきり自殺だってわかればいいんですけどね」

「……そっちもなあ、気になる点が解決しないんだよな……」

「でも、遺書ありますよ？」

「遺書……あのメモ書きなあ。あれもなんだか釈然としない」

脇坂も、少し前に見せてもらった現物を思い出す。

――優紀《ゆき》ちゃん　迷惑ばかりかけるわね。私は足がだめだから。

「遺書ってのは、普通別れの挨拶《あいさつ》が入るだろ。あとは、残される遺族への謝罪が入ることも多い。でもそれがまったくないんだよな」

「言われてみれば……そうでしたね」

「確かに脚が不自由だったが、歩けないわけじゃない」

「しょっちゅう外出してるって、近所の人も言ってました。必ず娘さんと一緒で、親孝行な子だって」

——ただ、あそこの娘さん、愛想はぜんぜんないの。お母さんはすごく明るいのにねえ。性格が違うからか、時々喧嘩《けんか》してたわね。それでもお母さんはすぐにケロッとしてるタイプで……いい人だったのにね……。

そんなふうに話していた人がいた。

「あと、両者に共通するのは、風変わりな妖人《ようじん》属性だ。《オバリヨン》に《どうもこうも》か……。先生は両方ともいないと言ったんだよな？」

「はい。ただ、《オバリヨン》のほうは、レアケースに遭遇していないだけかもしれない、とも」

「先生と、そのおっかさんが遭遇していないとなると、相当なレアだぞ。まずいないと考えてよかろうよ。誉田さんと小田垣さんが、なぜわざわざそんな属性申告をしたのか、どうしても気になる」

「今回の件と関係してるんでしょうか」

「事件と直接関係していないかもしれんが、妖人にとって属性というのは、あの、あれだアイデン……」

「アイデンティティ？」

「そうそれ。それと深く関わっている気がするんだよ」

花びらが、今度は鱗田の鼻先につく。鱗田は顔をしかめて、フンフンッと鼻息で飛ばそうとしたがうまく行かず、結局指で摘まみ取った。

「人間てのはいつも、自分が何者かって考えてるだろう？　妖人属性ってのは、それに対するひとつの答えなんじゃないかと思うんだ」

「……すごい。ウロさんが先生みたいなこと言ってる」

「おまえな、俺だってこれくらいは考えるよ。というか、誰だって考えるだろ」

「僕、自分が何者なのかってあんまり考えたことありません」

鱗田は脇坂をちらりと横目で見て「そうだろうな」と言った。

「……なんか、軽くバカにされました？」

「してない」

「ほんとですか？」

「してないだろ。おまえはブレのない、しっかりした男だと褒めたんだ」

「えっ……。そんな、照れますよう」

「嘘だ」

「えっ」

なんだか遊ばれているような気がするのだが、鱗田は真顔のまま駅に向かって歩いている。硬く引き結んだ口が、笑いを堪《こら》えているようにも感じられたが、脇坂の気のせいだろうか。もっとよく観察しようとした時、携帯電話が鳴った。

今さっきまで脇坂たちがいた病院の番号が表示されている。

「もしもし」

脇坂は電話に出る。

すでに駅に繋《つな》がる歩道橋の階段にさしかかっていた。

電話の向こうから看護師が発する言葉を聞き、脇坂は階段を上るのをやめた。数段先に行っていた鱗田が振り返る。

「意識が」

珍しく自分の目線より高い位置にいる鱗田を見上げ、脇坂は言った。

「誉田さんの意識が、戻ったそうです」

※

おまえ、あの子に会うかい？

そう聞かれてから、すでに数年が経過していた。

旅には出ていた。ふたりで日本中を回った。夏休み、春休み、冬休み。学校が休みになるたび、徒《かち》の多い旅は私の運動靴の底を減らした。灼熱《しゃくねつ》の琉球《りゅうきゅう》で祝女《ノロ》に会い、緑に包まれた那智滝《なちのたき》を見上げ、ただひたすらに白い雪原では、言葉もなく立ち尽くした。旅は私に多くを与え、多くを教えてくれた。たくさんの人に会い、たくさんの人生に触れた。その中には幸せからほど遠いと思える人もいたし、時には敵意を向けられもした。そんな経験も含め、すべてが糧となる旅だった。

「本当は、もっと早く会わせるつもりだったんだけどね」

隣を歩く母が言う。

私は十一歳になっていた。だいぶ背丈も伸びてはいたが、まだ母のほうがだいぶ高い。女性にしてはすらりと背の高い人だったのだ。

「どうにも状況がよくなくてね。おまえに見せていいものか迷ってしまった。でも、もう迷ってる時間すら惜しい。あの子は限界だろう。……いや、もう限界を超しているのかもしれない」

せっかく綺麗《きれい》な形の眉《まゆ》を、きつく寄せる。

白いものが舞っていた。風花だったろうか。

いや、桜だ。春だったと記憶している。山頂のほうには白い雪が残っていたが、中腹ではもう山桜が満開だった。

ひらひら、ひらひら。舞い落ちては私に纏《まと》わりついた。

「今日はめったにない機会なんだよ。あの子の母親は山を下りている。数か月に一度、買い物のために町に下りるのさ。だからあの子はひとりでいるはず」

「おっかさん」

私は尋ねた。

「その子のお母さんに、どんな問題があるの？」

母はまっすぐ前を見据えながら「子供を愛しすぎる」と答えた。

「それは、よくないこと？」

「時々、よくないことになる。愛《いと》しいという気持ちが大きすぎて、相手のことが見えなくなるんだ」

「前に話してくれた、名前のない子……？」

「そう。覚えていたかい？」

私は頷《うなず》いた。名前をもらえていないなんて、とても可哀想だと思ったからだ。名前は、子供が最初に親からもらう贈り物のはずなのに。

「私の子、と呼ばれているんだよ」

「お母さんはそう呼べばいいかもしれないけど、他の人たちは？　友達はその子をなんて呼ぶんですか？」

「周囲にほかの大人はいない。友達もいない。学校にも行っていない」

私は驚いた。ちょうど学校で、義務教育について教わったばかりだったのだ。大人は子供に教育を与える義務があるはずなのに、なぜその子は学校に行かせてもらえないのか。病気で行くことができないのだろうか。母にそう聞くと「母親があの子を病気にしちまったんだよ」とため息交じりに答えた。

「病気を理由にして、登校させていないんだよ。地域の民生委員さんが熱心な人で、何度も家に様子を見に行ったようだが……」

「諦《あきら》めてしまったの？」

「いいや」

母は立ち止まり、空から落ちてくる花びらを顔に受けながら「死んでしまったそうだよ」と答えた。

深夜に山道で足を滑らせ、転落死。

そんな時間になぜ山にいたのか、誰も知らなかったという。私は背中がぞわりとするのを感じて、それ以上聞くのが怖くなった。母もまた無言で歩き始める。それからしばらく歩き、遠くに古い山小屋のような家屋が見えてきた頃、母は再び口を開いた。

「最初に言っておこうね。これから会う子は普通の恰好《かっこう》をしていないと思うけど、あんまり驚いちゃいけないよ。その子が怖がってしまうから」

母との旅で、私は風変わりな人たちとも多く会っていた。その私にあらかじめ注意しておくくらいだから、その子供は相当変わっていることになる。

「どんな恰好をしてるんですか」

「見たらわかる。その子と会って、話をして、おまえに決めてほしいことがあるんだ」

「決める？　なにを？」

「その子を誘拐するかどうかを」

「えっ」

驚いた私を見て、母が笑った。けれどそれはいつもの屈託ない表情ではなく、痛々しく深刻ななにかを、見えないように包み隠す笑みだった。

「つまり、その子をうちに連れて帰るかってことさ」

「でも……」

「おまえが見て、決めなさい。あたしに血縁はないが、おまえにはある」

血縁？

私は混乱した。血縁というのが血の繋がりのことなのは知っていた。けれど母に血縁がなくて、私にあるというのが理解できない。なにからどう聞けばいいのかもわからないまま、早足になる母に必死に着いていき、小屋の前に辿《たど》り着く。

まるで廃屋だった。

あらかじめ知っていなければ、とても人が住んでいるとは思わないだろう。ガスや電気、水道すらきているとは思えない。後からわかったことだが、小屋の裏手に小さな発電機は備わっていた。それでも、人が暮らすには過酷な条件だ。周囲に咲いた桜だけは美しく、廃屋を覆い隠さんばかりに咲き乱れていた。

軋《きし》む引き戸を開けて、私と母は中に入った。鍵《かぎ》はかかっていなかった。

ひどく薄暗く、嗅《か》いだことのないにおいがした。悪臭の上に、強い香水で無理やり蓋《ふた》をしたような、正直気分の悪くなるにおいだ。空間の中央に囲炉裏があり、小さな炎が揺らめいている。戸口から射す明かりと、囲炉裏の火だけが光源だった。

ごそり。

なにかが蠢《うごめ》いた。

「怖がらなくていい。あたしだよ」

母が声をかけた方向に、それはいた。薄暗さに目が慣れてくると、毛布にくるまった子供だとわかった。ぎょろりと大きな目が、怯《おび》えるようにこちらを観察している。

「今日は息子を連れてきたんだ。おまえよりひとつ年上だよ。さあ、あたしは食事の支度をしよう。ほかほかのごはんを炊いてあげるからね」

担いで来た大きな荷物を置いて母は言った。米や味噌《みそ》などの食材をリュックサックに入れていた理由がようやくわかる。

ぐるりと見回した限り、ここにはろくな食べ物も置いてないようだった。

「食事ができるまで、一緒に遊んでいるといい」

母が言うと、毛布に埋もれた子供がぴくりと震える。私が数歩だけ進むと、ずりりっ、と毛布はうずくまったまま後退した。だがすぐに壁にあたって止まる。頭より深く毛布を被《かぶ》ってしまい、もはや目の位置もわからない。

「あの……一緒に、遊ぶ……?」

少し屈《かが》んで、聞いてみた。毛布はひどく震えている。

「遊びたくない……?」

もう一度おずおずと聞いてみる。

しばらく待ったが返事はなかった。私は困って母を見たが、すでに食事の支度にとりかかっていて助けが得られそうにない。

仕方ないなと思った。無理やり毛布から引っ張り出すわけにも行かない。この子は一緒に遊びたくないんだと判断し、私はその場を去ることにした。身体の向きを変えて一歩踏み出そうと思ったその時、なにかに捕らえられた感覚にギクリとする。

毛布からにゅっと伸びた腕が、足首を握っていた。

恐る恐る振り返ると、毛布から這《は》うように出てきた子が必死に私の足をとらえている。ぼさぼさに乱れた長い髪――見上げてくる大きな目と、視線が合った。

「あそぶ」

震え声が言った。

「あそぶ。いかないで」

私は返事をしなかった。できなかった。声が出なかったのだ。

なんだ、これ。

この子は……なんでこんなことに？

ひどく瘦《や》せた身体。顔色は悪く、頰がげっそりこけて、落ちくぼんだ目ばかりがぎらぎらしていた。背中に届く長い髪は乱れ、ずいぶん洗っていないにおいが漂う。

白いワンピースのような服を着ていた。細かな刺繡《ししゅう》とレース飾り……凝った造りだけれど、どこか古くさい服で、実際にあちこちがほつれていた。私は勝手に男の子だと思い込んでいたので、ワンピースを着た女の子が出現したことに戸惑っていた。

けれどそれよりもさらに私を驚かせたのは、その子の身体中に巻かれた包帯だ。

ぐるぐる。

ぐるぐる。

腕に、脚に、首に……白い包帯が巻きついている。

手の指は動かせるように露出していたが、足はつま先まで巻かれていた。かなりしっかりと巻かれていて、ただでさえ細い腕や足は白くペイントした枯れ枝のようだ。

白い顔。白い服。白い包帯。

縋《すが》るような目だけが、充血して赤い。

こんな異様さは経験したことがなかった。恐ろしかった。正直、この子を蹴飛《けと》ばして逃げたいと思った。けれど同時に、それだけはしてはならないことにも思えた。

私は思わず母を呼んだ。

「お、おっかさん」

「この子、怪我をしている。身体中に怪我をしているよ」

入口近くの瓶から水を汲《く》んでいた母が「怪我じゃないよ」と答える。

「その包帯は怪我じゃない。全部解いておやり」

「でも」

「少しでも身体の成長を止めようとしているのさ……愚かな人だよ……。きつくてつらいはずだ。ほら、早く解いてあげなさい」

「だけど、お、女の子だし」

包帯を解くには服を脱がさなければならない。

女の子にそんなことできないと、足首を握られたまま私は母に訴えた。働く手を止めなかった母は、やっとここで私のほうを向き、洗った青菜を持ったままで「いいんだ。問題ない」と言い、こう続けた。

「その子は、おまえの弟なんだから」

※

お母さん。

どうして私にひどいことばかり言ったの？

どうして私を否定してばかりいたの？

私はお母さんが大好きだった。だからお母さんの言うことはみんな正しいと思っていた。お母さんは間違えないと思っていた。お母さんが私をだめな娘だというのなら、きっとそうなんだろうと思っていた。

大人になって、気づいた。

お母さんは完璧《かんぺき》ではなかったのだとわかった。あなたはただの人間で、ただの女だ。人間らしく愚かで、女らしく狡賢《ずるがしこ》く、善意と悪意のあいだで常に揺れている。

普通だ。私とたいして変わらない。

当然だ、私はあなたの娘なんだから、そんなに大差はないはずなのだ。

なのになぜ、いまだに私を支配しようとするの？

女王のように君臨し、魔女のように蹂躙《じゅうりん》し、いつまでその冷たい足の裏で、私を踏んづけているつもり？

もう、限界。

私は自由になりたい。

そのためにはどうしたらいいのか。なにをすればいいのか。

わかってる。あなたをちゃんと憎めばいい。憎んでいい。親だけれど憎んでいい。あの女は憎まれて当然だ。

だって、少しずつ私を殺しているんだから。子供の頃からずっと、浅く浅く、けれど重ねて、私をナイフで削っているんだから。

その刃が骨に届く前に、決着をつけなければならない。でなければきっと、私は同じことを繰り返す。自分がされたことを、今度は娘にしてしまう。

あなたの持っていたナイフは私に手渡される。

そして私は可愛い娘を切り始める。

浅く浅く、けれど重ねて。

だから私は認めなければならないんだ。

お母さん、あなたが憎くてたまらない。

六

「マメ、広間に座卓を出して、ヒーターを置いてくれるかい。先生が戻るまでに、部屋を暖めておこう」

夷の声に、台所で玉葱《たまねぎ》を剝《む》いていたマメは「はい」と返事をした。

廊下を歩くと、靴下を通して木の冷たさが伝わってくる。四月も半ばをすぎたが、今年の春はなかなか本気を出してくれない。天気予報で『寒の戻り』と聞くのも、少々飽きてきた。

納戸から電気ヒーターを広間に出す。広間は普段使っていない部屋なので、暖まるのに少し時間がかかるだろう。ちなみに広間といっても、八畳の和室だ。茶の湯の世界では四畳半以上は広間になるのだよと、以前洗足が教えてくれた。マメがヒーターを設置していると、夷が茶の間から火鉢を移動させてきた。かなり重いはずなのだが、《管狐》は腕力も強いので、平気な顔で運んでいる。

「これでいくらかマシだろう。……まったく、いつまで風邪を引き続けるつもりなんだろうね、うちの先生は」

呆《あき》れ声を出した夷の後ろで、にゃあさんが「ぶみ」と相づちを打つ。夷はにゃあさんの存在に気がついていなかったようで、ビクンと肩を竦《すく》ませた。

一時間ほど前、洗足は刑事たちの車で出かけていった。

迎えに来た脇坂と鱗田は「お加減が悪いのに、本当に申しわけありません」と、こちらも多少聞き飽きてきた台詞《せりふ》を口にしつつ、七度四分の熱がある洗足を連れていったのだ。おかげで夷がお冠である。

「微熱、続いてますものね」

マメはずっしり重たいにゃあさんを抱き上げて言った。

「あの方は平熱が低いから、七度台でもそれなりにつらいはずなんだよ。それでもやっぱり、断らないんだから」

「先生、大丈夫でしょうか」

「そう心配はいらないだろう。用事がすんだら、すぐに帰してくれる約束だし。用事そのものは二秒もあればすむ」

行き先は病院だ。

事件の被害者に会いに行ったのである。被害者は妖人《ようじん》とされているので、洗足はその真偽を確かめ、かつ正しい属性を確認しに行ったのだ。

「確認するまでもなく違うと思うがね。《どうもこうも》なんているわけがない」

「自殺だと思っていたら、他殺だったなんて……怖いですね」

「未遂だよ、マメ。自殺未遂だと思っていたら殺人未遂だったわけだ。ウロさんは怪しいと思っていたようだが、決定的な証拠はなかったからね。被害者の意識が戻ったのは、なによりだ。早く回復するといいんだが」

夷の言葉にマメはコクリと頷《うなず》く。

被害者は誉田敏美さんという女性で、マンションのサービス棟屋上から転落した。意識が戻った彼女が必死に紡いだ言葉は『脅されて』だったらしい。

脅されて、飛び降りた——そう解釈できる。

ほどなく洗足と刑事たちが戻ってきた。

本当に、移動時間プラス数分程度での帰還だ。マメは夷に言われたとおり、刑事たちを広間に通してお茶を出す。いつも明るい脇坂がさすがに難しい顔をしていた。

「……あの、聞いてはいけないのかもしれませんけど……先生は被害者の方とお話しできたんですか？」

マメが遠慮がちに聞くと、脇坂は鱗田を窺《うかが》い見る。いつもと同じ飄々《ひょうひょう》とした様子で正座している鱗田が「構わんだろ」と言ってくれ、脇坂が頷く。

「誉田さん、一時は会話ができる状況だったんだけれど……また意識が混濁してしまってね。だから話はしていないよ」

「そうなんですか……」

「先生は見るだけでその人が妖人かどうかわかるから、その点は問題ないんだけどね。

……誉田さんは妖人だけど《どうもこうも》じゃなかった」

「誰に脅されたのかは、わかったんですか？」

「いいや。意識が戻った時も、ほとんど話ができる状態じゃなくて……」

脇坂がそこまで話した時、洗足が夷を伴って入ってきた。抹茶色をしたウールの着物の上に、半纏を羽織っている。顔色はそう悪くないので、マメは少し安心した。

上座についた伊織の前に、ちょうどいい温度のお茶を出す。

伊織はそれを飲んでふぅと息を漏らしたあと、袂《たもと》からマスクを出してかけた。昨晩から咳《せき》が増えているのだ。部屋には夷も残っているが、マメは退室すべきだろう。けれど、マメも事件については気になっていて、急須《きゅうす》の載った盆を持ったまま ちらりと洗足を見ると「いても構わないよ」と言ってもらえた。

「どうせこの家の造りじゃ、会話は筒抜けですからね……。さて、事件だ。妖人が被害者の事件。そこのグルメ刑事《デカ》、概要をまとめなさい」

「あ、はい。ではグルメ刑事がまとめさせていただきます」

脇坂は自らをグルメ刑事と認めているらしい。

「自殺未遂と思われていた事件でしたが、誉田さんの意識が回復したことによって、何者かが誉田さんを、サービス棟の屋上から突き落としたと……」

「嘘つくんじゃないよ」

「え」

「誉田さん言ったのかい。突き落とされた、って」

脇坂は「えーと」と考え直し「言ってません」と真顔で返した。隣で鱗田が目を閉じて眉《まゆ》を寄せる。

「僕たちが聞き取れたのは『脅されて』という言葉だけです。すみません」

「素直に謝りゃ馬鹿が許されると思ったら、大間違いですからね。続けて」

「はい……。以前からこの事件に関しては疑問がありまして、その中のひとつに屋上にどうやって出たか、という問題があります。屋上に辿《たど》り着くには、暗証番号が必要なドアが一か所、さらに屋上と繋《つな》がるドアにも鍵《かぎ》がかかっています。そして、暗証番号の必要なドアがある通路には、防犯カメラもついていて、ただしこれは事件当時故障していました。犯人がなんらかの細工をしたことも考えられますが、そうだとすると不自然な点がひとつあります。防犯カメラはサービス棟のメインエントランスにも設置されていて、こちらは壊れていないんです。もし犯人が防犯カメラを操作できる立場にあったなら、どうして両方故障させなかったのか……。もちろん、故障させようとしたがうまくいかなかったという可能性もありますが」

洗足は腕組みをしてやや俯《うつむ》き、黙っている。

「メインエントランスの映像はすでに提供してもらっています。そこに、少なくとも、事件のあった日に出入りしてる人間は映っているわけで、ほとんどがマンションの住民だと思われます」

「出入口はその一か所だけなのかい」

洗足の質問に脇坂が「通用口もあります」と答えた。

「サービス棟にはコンビニや保育所などが入ってて、そこで働く人たちのための出入口です。ここもカメラは設置されていて、映像記録は残っています。また、屋上に鑑識も入りましたが、屋外な上に、日にちが経過しているので役立ちそうな痕跡《こんせき》は見つけられませんでした」

「至急、映像記録を分析します」

鱗田が言い、茶碗《ちゃわん》を軽く上げてマメに目礼し、ズズッと飲む。こんなふうに、お茶を入れたマメにまで気を遣ってくれるのが鱗田という人だ。

「それで？　ウロさん。なにかあたしに言いたいことがあるんでしょう？」

「はぁ。言いたいことというか、聞いていただきたいというか……。どうも私の中で引っかかってる点がありまして……」

夷がすかさず「手短に願います」と言い、鱗田は「もちろんです」と頭を下げた。

「あ、誉田さんの言った『脅された』という台詞ですよね」

脇坂が鱗田より先に喋《しゃべ》り出す。

「僕もそこはすごく気になったんです。だって誉田さん、とても気の強い女性だったらしいから、そんな誉田さんを脅すなんていったい……」

「黙んなさい脇坂くん。ウロさんがしたいのはそんな話じゃないよ」

洗足に叱られ、脇坂は「そうなんですか？」と先輩刑事を見る。鱗田は「ウン。おまえは黙ってな」と静かに諭す。

「誉田さんの事件ではなく……小田垣貴子さんのほうです」

鱗田が口にしたのは、同日、同じマンションで、自殺を図った女性の名前だった。マメが覚えている限り、浴室で手首を切り、出血多量で亡くなったのだ。

「手短に言いますとな、こっちも殺されたんじゃないだろうかと」

えっ、という声を同時にあげたのはマメと脇坂だった。

「あの……でも、そっちの自殺は確か遺書があったんですよね？」

思わず口を挟んでしまったマメに「そうですよ」と脇坂が同意してくれる。

「ちゃんと家族の確認も取ったはずです。娘さんに見せたら、確かに母親の字だと……所轄のことでこんなに悩んでるなんてちっとも知らなかったって、泣いてたって……所轄の警察官が言ってました」

「その遺書が偽造だったら？」

聞いたのは洗足だ。脇坂は口を開けたまま固まり、数秒おいて「でも、筆跡が」と今度は鱗田を見た。

「筆跡は本人のものらしいが、鑑定に出したわけじゃない。それに、文面がどうも不自然なのもひっかかる……『優紀ちゃん　迷惑ばかりかけるわね。私は足がだめだから』……迷惑ばかりかけてごめんなさい、ならまだわかるんだが」

「きちんと便箋《びんせん》に書かれていたんですか？」

洗足の質問に、鱗田は「いいえ。メモ用紙のようなものに」と答えた。

「あの遺書が、もし誰かに偽造されたものだとしたら他殺になります」

言いきる鱗田に「ちょと待ってください」と脇坂は慌てた。

「そりゃ遺書が偽造だったらそうでしょうけど……なんで突然そんな話になるんです？　誉田さんが殺人未遂事件だったからって、同じ日に起きた小田垣さんまでそうだとは限らないでしょう？」

「そうじゃないとも限らんだろう」

「でも」

「小田垣さんの自殺も不自然な点が多い。そもそも、どうしてリストカットなんて、死ぬには難しい方法を選んだ？」

「それは脚が悪かったから、家の中で死ねる方法を……」

「脚は悪かったが、車椅子だったわけじゃない。杖《つえ》を使えば歩ける程度で、趣味は食べ歩きだ」

食べ歩きの趣味の人が自殺……。マメにとっても、それは多少違和感があった。なにか悩んだり苦しんだりして、死を考えるのなら、自然と食欲もなくなるのではないだろうか。でもストレスからくる過食というのも聞いたことがあるから一概には言えないのかもしれない。人の心はややこしい。

「手首の傷も不自然だ。どうしても気になって、もう一度検死を担当した医師に話を聞いてきたんだが……やっぱりおかしい」

「おかしいって、なにがです？」

脇坂が訝《いぶか》しむ。

洗足もコホンと咳をひとつして、「どういう意味です？」と聞いた。

「ご存知と思いますが、手首を切って死ぬというのは簡単ではありません。出血多量になるためには、動脈、あるいは太い静脈を切らなければならない。これはなかなか難しい。だが、小田垣さんの手首はかなり思いきりよく切れていた。一度手首にナイフを突き立て、それから柄を握り直して、自分の体重をぐっとかける……おそらくそういうやり方だったはずだと、医師は話していました。傷の形状もそれを証明していると」

「それはまた……勇気があるというか、なんというか……」

夷が自分の手首を摩《さす》りながら言った。いったいどれだけの血が流れたのだろう……マメは聞いているだけで貧血になりそうだ。

「片手しか使えない状況で、それをやってのけた。さらに、検死によって睡眠薬とアルコールの摂取がわかっています。リストカットの時に睡眠薬を飲むこと自体は珍しくありません。眠っているうちに失血死しようというねらいです」

「あの……あの、ちょっといいですか……。睡眠薬飲んじゃって、手首がちゃんと切れないうちに眠くなったりしたら……」

マメの質問に「その危険性があるので、だいたい直後に服用するようだね」と鱗田が教えてくれた。

「しかし、アルコールはそういうわけにはいかない。出血しやすいよう、血流を良くするためのものですから、事前に飲んでいないと。つまり、小田垣さんがリストカットをした時、ある程度の酩酊《めいてい》状態にあったはずなんです。酒に弱いというのは、娘さんも友人も言っていました」

「ふむ……そうなると、的確に切るのはますます難しい……」

夷の呟《つぶや》きに鱗田は頷《うなず》く。

「不自然です。私にとっては、7階の屋上から飛び降りるのと同じぐらい不自然だ。同じ日に、同じマンションで起きた、ふたつの不自然な自殺事件……そして両者にはもうひとつ共通点があります。不自然な妖人《ようじん》属性です」

洗足がゆっくりと瞬《まばた》きをする。

《オバリヨン》と《どうもこうも》……両方とも、実在しない妖人だと洗足は言っていた。『妖人』という言葉すらなかった頃から『普通とは少し違う人々』を多く見てきたこの人が言うのだから間違いないはずだ。

「彼女たちが本当にそういう妖人だったのであれば、偶然に偶然が重なったケースということもあるでしょう。けれど先生の話によると、そんな妖人はいない。今日実際に見ていただいた誉田さんも《どうもこうも》ではなかった」

そうですよね、と鱗田が確認する。

洗足は頷き「《どうもこうも》ではないよ」と答える。

「じゃあ……嘘をついていたんですか？」

マメは首を傾げる。

洗足は火鉢に手をかざしつつ「嘘とは限らない」と言った。冬のあいだは、この火鉢でしばしば餅《もち》を焼いていた。

「勘違い、思い込み……そういうこともあり得る。だが、それにしても《オバリヨン》と《どうもこうも》を選んだなにかしらの理由はあるはずだ。ウロさんはそこが気になっているんでしょう？」

はい、と鱗田が頷く。

「前に脇坂くんに話しましたが、《オバリヨン》に関しては、おぶさりたがるという性質から考えて、依存心の強さが連想されます。ただし、依存心が強いというのは普通に考えれば欠点であり、威張れたことではありません。そこをわざわざ強調して《オバリヨン》を選ぶものだろうか。……ウロさん、妖人属性の申告方法は、今どうなっているんです？」

「はい。妖人検査……つまりDNA検査で陽性だった場合、三か月以内に属性の申告をすることになっています。届けがなかった場合は不明となりますし、自分で不明と届けてもいい。先生もご存知のように実際ほとんどの人が不明です」

「届け出は、インターネットや郵便でもできるんですか？」

「いえ、本人確認が必要なので役所の窓口になりますね」

「本人しか届けられない？」

「原則としてはそうですが、委任状があれば家族でも可能です」

「家族……」

洗足が小さく言い、それに答えるかのようなタイミングで、火鉢の中の炭が崩れた。夷が躙《にじ》りより、火箸《ひばし》を取って炭を整える。

「……マンションの住人たちに話を聞いていて、ひとつ気にかかったことがありました。小田垣さんの両隣のお宅が同じことを言っていたんです。あそこの奥さんは足が悪くても明るくて前向きな楽しい人、ただ、娘さんとの仲は良くなかったみたいで、よくケンカをしていたと」

脇坂が「まさか」と鱗田のほうに身体ごと向く。座布団が畳を擦《こす》る音が聞こえた。

「まさか……娘さんが自殺に見せかけたと思ってるんですか？　でも母と娘なんてよく喧嘩《けんか》するものですよ。女同士で両方弁が立つから、聞いてるだけだと大喧嘩に感じられるけど、翌日にはケロっとしていたり……」

「まあな。母娘《おやこ》の仲が悪いからって、殺すまではそうそういかないだろうさ。だが、属性申告については、娘さんがした可能性もある。自分にとって母は《オバリョン》だという意味でな……。今、役所に確認中だ」

「……《どうもこうも》については？」

洗足に問われ、鱗田は「そちらも一緒に調べてもらっています。本人が申告していなければ、委任状が残っているはずですから」と答えた。やりとりを聞いているうちに、マメは混乱してしまう。

「あの……誉田さんも、自分で妖人属性の申告をしていないかもしれない……っていうことですよね……？　えっと、その前に……そもそも、なんでふたりは自分が妖人だってわかったんでしょうか。今、妖人検査は義務じゃないですよね……？」

「マメの疑問はもっともだね。小田垣さんについては病院で検査されたんだろう。脚が悪いことから運動不足になって、糖尿病になりかけてた……そうでしたねウロさん」

「はい。去年、検査入院をしています。病院の方針でその時に妖人検査を行ったと」

「誉田さんのほうはそれより以前に検査していました。妖人検査法の制定で世間がごたごたしてた頃です。誉田さんは正義感の強い人のようで、妖人であろうと差別されるいわれはないはずだと、自ら進んで検査を受けたと……娘さんが話してくれました」

「それはまた立派な心構えだね。口で言うのは簡単だが、自分で率先して検査を受けるというのは、なかなかできるものじゃない」

洗足の言葉にマメも大きく頷く。妖人への不当な差別は禁じられているものの、実際にはしばしば聞く話だ。

しかも、差別は当人だけの問題ではない。

検査を受けて妖人だとわかれば、子供にも妖人の可能性が出てくる。それでも検査を受けたのだから、誉田さんは本当に正義感の強い人なのだろう。

「その経緯を考えますと、誉田さんの場合は自分で属性申告をした可能性が高いですな。だとしてもなぜ《どうもこうも》なのか……」

「誉田さんにも娘さんがいらっしゃいましたね。彼女はなんと？」

洗足が聞き、鱗田が答える。

「属性申告についてはなにも知らないと。小田垣さんの娘さんも同じように言っていました」

「…………」

洗足がやや俯《うつむ》き、中指を額に当てた。なにか考え込んでいるようで、片方しか見えていない瞳《ひとみ》が畳の目をじっ見つめている。ここまで考える洗足はちょっと珍しいな、とマメは思う。

「……少し換気をさせてください。火鉢がついてますので」

夷が静かに立ち上がり、庭に面した掃き出し窓の前に立った。

この家の部屋のほとんどは、きれいな中庭に面している。窓を細く開けると、いつの間に中庭に出ていたのか、にゃあさんがドスドスとやってきて、中に入れろと「ぶみゃっ」と鳴いた。夷は一瞬身を硬くしたが、そろそろと窓を開け猫を入れてやる。にゃあさんがマメの膝《ひざ》にすり寄ってきても、夷は同じ位置に立ったままだった。

切れ長の目をすっと細めて「そこでなにをしてる？」と庭に向かって問いかける。部屋の中の全員が中庭を注視した。

「……やっぱ夷さん鼻いいなあ。風上にいたのにさ」

死角から現れたのは、例によって甲藤だった。

途端に脇坂の眉《まゆ》がつり上がり、洗足はうんざりした顔になる。夷の表情は見えないが、きっと甲藤を睨《にら》みつけているのだろう。

「そんな怖い顔しないでくださいよ。盗み聞きじゃないから。言っておくけど、盗み聞きなんかしてない。あ、二回言っちゃったじゃないか……。これもいつも言ってるけど、声をかけるタイミングがなかなかなくて」

「用事があるなら早く言いなさい。用事がないなら早く帰りなさい。ああ、先日のショウガの蜂蜜《はちみつ》漬けは少し辛かったようだよ。飲んだ脇坂くんが噎《む》せてた」

洗足の言葉に「ええっ、あれは先生に作ったのに」と甲藤がむくれ顔をする。

「あたしは基本、家の者が作ったものしか食べません。それで用事は？」

「褒めてください！」

掃き出し窓に近づき、大袈裟《おおげさ》に両腕を上げて甲藤が言う。それに対して「はあ？」と声を上げたのは脇坂だ。

「なに言ってるんだか。どうしてきみを褒めなきゃいけないんだ」

「てめえに頼んでねえよ。俺は先生に褒めてほしくてやったんだ」

「……嫌な予感がするが、まずは聞きましょう。甲藤くん、なにをやったんです？　ああ、もう、寒いから入りなさい。仕方ない」

洗足の許可を得て、甲藤は嬉々《きき》として頑丈そうなブーツを脱ぐ。

広間に入ってくると、脇坂以外には「へへ」と愛想笑いをしながら頭を下げた。マメに向かっては「よう、チビちゃん」と気安く声をかけてくる。マメはにゃあさんを抱いたまま、会釈を返す。洗足の近くに座ろうとした甲藤だが、夷に「きみはそっち」と一番下座を示され、素直に従った。マメよりさらに、襖《ふすま》に近い位置で、慣れない様子で正座をする。

「では、俺の手柄をご報告します。鍵《かぎ》、鍵ですよ。例のマンションのサービス棟、その屋上に出るための鍵」

「……きみは前回、その部分を盗み聞きしてたんだったね」

「先生、盗み聞きじゃないスよ。俺、ここにちょいちょい通ってるから話が聞こえちゃうことがたまたまあるってだけで」

「言い訳はいいから、続けなさい」

「はい。その鍵を使ったのが、誰なのか俺は知りませんけど、入手方法はわかりました。あの管理員ですよ。あいつ、悪い奴でした。あの野郎、鍵の複製を作って売りやがったんです。あっ、あと暗証番号を漏らしたのもあいつっ」

一同が顔を見合わせる。

確かに、マンションの管理員ならば鍵の複製を作ることは可能だし、暗証番号の漏洩《ろうえい》もできる。だが、いったいどうしてそれを甲藤が知り得たのか……、そこに全員引っかかっているのだ。脇坂が身を乗り出すようにして「なんで」と言いかけたが、洗足が片手を上げてそれを制した。

「……なぜそうだとわかるんです？」

「そりゃ聞いたからです、本人に」

「管理員に？」

「そうそう。そいつ、杉下ってんですけど、競馬だの競輪だので作った借金が嵩《かさ》んで、相当やばいことになってたんですよね。闇金からも摘まんでたから、取り立ても容赦なくて、このままじゃ会社にもバレるって焦ってた。そこに、闇金の知り合いってのが出てきて、鍵の複製を作れば、借金の返済を延ばしてやると持ちかけられたわけです」

鱗田が脇坂に目配せをした。脇坂はすぐに立ち上がり、自分の携帯電話を持って広間を出る。杉下という人に関して裏付けを取ってもらうよう、連絡するのだろう。

「その金融業者の社名と名前は」

洗足の質問に甲藤はすらすらと答え、それを鱗田がメモする。

話が本当かどうかは、調べればすぐにわかるはずだし、この事件に関して甲藤が嘘をつく理由もとくにない。それくらいはマメにもわかる。つまり甲藤は単純に洗足に褒めてもらうため、この件を調べたということになる。

ショウガの蜂蜜漬けの件といい……とにかく洗足に気に入られたいらしい。それが主《あるじ》を見つけた《犬神》の習性なのだとしたら、ちょっといじらしくもある。マメも自分の居場所を求めてさまよった経験があるので、その気持ちだけは少し理解できた。

「俺の情報をたどってけば、誰が鍵を使ったかもわかるんじゃねスか？　いやー、びっくりしたよ。俺が鍵について調べてた時は、自殺が他殺だったなんて全然知らなくてさ。単に先生の役に立つのかもなーって、その程度で。そんでいろいろわかったから今日報告に来たら、飛び降りたんじゃなくて、誰かに殺されたっていうじゃん？」

「誉田さんは亡くなっていない」

「あ、そうでした。殺されかけた、か」

鱗田も立ち上がり、洗足に向かって「一度戻って調べます」と告げる。

「ウロさん。そちらの調べがついたら、なるべく早く、ふたりをここに連れてきてください」

「ふたり？」

「誉田さんと小田垣さん、それぞれの娘さんです。あたしから聞きたいことがあります」

……早いほど、いい」

鱗田はやや怪訝《けげん》そうな顔を見せたものの「わかりました。ご連絡します」と返事をして、広間を出た。ふたりの刑事が玄関から去っていく物音がする。

「……甲藤くんのおかげで、解決への糸口ができたようだ」

洗足が言うと、甲藤は嬉《うれ》しそうに笑って「なんてことねえよ、先生のためだもん」と許されてもいないのに足を崩す。畳の上であぐらになり、マメの膝の上にいるにゃあさんに「なあ、デブ猫？」と失礼なもの言いをした。

「それで、きみはどうやってその情報を得たんだい？」

「そこですよ〜。俺って勘が働くんですよね。やっぱ《犬神》だからかなー。こいつクセエぞ、なんかありそうだぞってわかる。で、杉下見た時もピンと来たんですよ。だって、俺がもし鍵を手に入れたいとしたら、こいつ巻き込むのが手っ取り早いし」

「なるほど」

「ほんで、昔のダチで名簿屋やってんのがいるんですよ。あー、この場合の名簿ってのは、多重債務者の名簿ね。もちろん名簿なんか見せちゃくれないけど、ピンポイントで、こいつ載ってるかってのは、ちっと金払えば教えてくれる。そしたらビンゴですよ。もう間違いねえって思って、直接奴を問い詰めたんです」

「深夜、人目につかない場所で？」

「さっすが先生。そうそう」

調子に乗った甲藤は、今度は脚を前に投げ出した。ぴったりした革のパンツをはいているので、あぐらでも窮屈らしい。

「あの野郎、最初はすっとぼけてやがったけど、何発か殴って倒れたところを蹴《け》り上げてやったら、泣きながら喋《しゃべ》り出しましたよ。造作もねえ」

甲藤の見せる笑顔は子供のように屈託がなく、マメにはそれがむしろ怖かった。洗足は表情を変えることなく、夷も主のそばに黙って控えているだけだ。

「俺のケリがもろに胃に入っちまったみたいで、ゲエゲエ吐きながら白状して……そうだ、買ったばっかのブーツをゲロで汚されたんだった！　むかついたから、喋った後も蹴ってやった。あんだけ痛めつけとけば、サツに駆け込んだりはしませんからね。人間てほんっと、痛みに弱くて笑える」

ゆるり、と洗足の右手が動いた。

傍らにある火鉢に刺さった、火箸《ひばし》を手に取る。古めかしくどこか懐かしいそれは、四十センチ近い長さで、先に行くほど鋭い鉄製だ。なぜそんなに長いのかというと、もちろん熱い炭を扱うものだからである。

「やんちゃだね」

火鉢の中の炭を動かしながら洗足は言った。

優雅なその仕草を眺めながらも、マメの心の中はざわざわとする。だって、さっき、炭は夷が整えたばかりなのに……。

「先生のためなら多少やんちゃもします」

「そうかい。あたしのためかい。……なら仕方ない。あたしも多少、手を汚すとしよう」

相変わらず得意気に笑う甲藤にそう言って、洗足は立ち上がった。火箸は持ったままだ。炭に焼かれた先端は赤々と光っている。

洗足が進む。

甲藤が顔を上げてその顔から笑みを消す。

「きみのしたことは犯罪です。傷害事件だ」

「せ、先生？」

「他人を傷つけることをこの国の法律は禁じている。法律で禁じられていなくても、みだりに他者を傷つけてはいけない。自分の利益のために他人を殴ったり蹴ったりしてはいけない。……こんな当たり前のこと、言葉にするのはおかしな気分ですねえ」

「あの……でも、俺……役に立ちたくて……」

「そこが一番厄介だ」

洗足は口元だけで笑った。とても怖いその笑みに、マメは息を止める。夷は涼しい顔をしたまま、ただ静かに座っている。今からここでなにが起きようと、きっと家令の表情は乱れないのだろう。

「きみはあたしのためにやったという。もちろんあたしが頼んだわけでも命じたわけでもない。きみが勝手にやったことだけれども、それでも胸が痛むね。きみは家の庭に勝手に入ってくる野良犬だが、中途半端にしていたあたしが悪かった。わが家の庭に入ってほしくないならば、強く意思表示をすべきだった」

「せ……」

「甲藤くん。あたしが本気で拒絶していることを、理解してもらいたい」

甲藤の顔に火箸の先端を向けて洗足は言った。

「人間が生まれながらに持っている暴力性というものを、あたしは認めている。認めているからこそ、そのコントロールが肝要だと思っている。自分の暴力性をコントロールできない人間に、この家の敷地に入ってほしくない」

火箸は次第に甲藤の顔に近づいていった。その先端が彼の目に向けられているのはマメにもよくわかる。緊迫した空気に、膝《ひざ》にいたにゃあさんも逃げていってしまった。マメもできればこの場から去りたかったのだが、怖すぎて動けない。洗足の目は間違いなく真剣だった。

「……し、しない。もうしないから、そんなの向けないでくれ……！」

「残念ながら、あたしはきみの言葉を信じることができない」

「ほんとにしないから！」

「だから身体に刻むことにしよう」

もう、無理だ。

掠《かす》れた音を立てて、マメは息をする。すると身体が動くようになり、涙目で正座を崩すと、這《は》うようにして夷のところまで言った。

背中側に隠れ、縋《すが》りつく。

とても見ていられない。確かに甲藤はひどい奴で、罰が必要なのかもしれないけれど、敬愛する洗足が甲藤を火箸で突くところなど見たくない。

暴力は嫌いだ。

自分の目から涙が零《こぼ》れるのを自覚しながらマメは強く思った。

暴力は嫌いだ。なぜなら、暴力を止めるには暴力を使うしかないからだ。

ちょうど今の洗足がそうしているように、ひとつの暴力を罰するためにはそれより大きな暴力が必要になる。そうやって暴力をどんどん増幅していく。マメにはそれが恐ろしい。かといって、他に甲藤を諭すいい方法があるわけでもない。言葉の通じない相手というのは、間違いなくいるのだ。

暴力の連鎖は止まらない。そしてそこから生まれる憎しみもまた、連鎖する。

それを考えると、絶望的な気分になる。

みしっ、と畳が軋《きし》んだ。

洗足がまた一歩進んだのだろう。

「せ……先生、やめ……やめてくれ、う、うわあ……ッ！」

甲藤が叫んだ。

ボコッと聞こえた音は、襖《ふすま》がへこんだか外れたかした音だろう。甲藤の背中はほとんど襖に着く位置だったのだ。マメは夷の背中に縋りついたまま固く目を閉じていた。異様なにおいが鼻をつく。肉が焼けるようなにおいに、また涙が溢《あふ》れる。怖い。

どたん、ばたん。

忙《せわ》しない、逃げるような足音。

廊下の風が室内に入ってきた。玄関の引き戸が勢いよく開く音、遠ざかっていく足音……そして、静寂。それでもマメはまだ目を開けることができなかった。

「マメ、ごめんよ」

言ったのは夷だ。

縋りつくマメの腕を剝《は》がし、立ち上がる。そこでやっとマメは目を開けて、夷が洗足に駆け寄る姿を見た。

「先生はそんなに私の寿命を縮めたいんですか」

「………………悪かった」

洗足はその場に片膝《かたひざ》をつき、蹲《うずくま》っている。夷は主《あるじ》の左手を取って顔を歪《ゆが》めた。

「マメ、盥《たらい》に氷水を。急いで」

「あ……は、はい！」

ただならぬ雰囲気に、マメはわけもわからないまま跳ねるように立ち上がり、台所に駆け込むと、震える手を叱咤《しった》して、金盥に氷と水を入れた。両手でしっかり抱え廊下を走る。多少零れてしまったが気にしている余裕はなかった。

洗足と夷の傍らに盥を置く。夷が洗足の左手を氷水の中に沈める。相当冷たいはずなのに、洗足が零したのはむしろ安堵《あんど》の吐息だった。

「……熱かった」

「当たり前です。なにを考えてるんだか」

夷は明らかに怒っていた。洗足はいくらか決まりが悪そうに「ちょうど火箸があったものだから」とよくわからない言い訳をする。

「あいつの目を突いてやればよかったんです」

「それじゃ私が傷害罪だよ。下手したら傷害致死だ」

「脇坂くんがうまく隠蔽《いんぺい》してくれますよ」

「暴力を振るうなと説教してるのに、自分が暴力を振るうわけにもいかないだろう。かといって火箸の収まりはつけなきゃならない。だったらあたしが握ればいいかなと」

「せっ……先生、火箸を握ったんですか……？」

今更青くなってマメが聞く。

「ああ、マメは見てなかったんだね。そう、あたしが握った。甲藤くんはあたしのために、他人に暴力を振るったわけだ。あの子の感覚だと、それを私が喜ぶと思っていたらしい。その相当ずれた感覚を是正するためには、あの子の暴力が回りまわってあたしに返るという図式が、一番いいかと思ったんだが……」

「ちっとも良くない。私は今度甲藤に会ったら、あいつを殺しそうですよ」

「芳彦」

悪かったと、洗足が二度目の謝罪を口にした。

それを聞いた夷はひとつ深呼吸をして自分を落ち着かせ、改めて水の中にある洗足の手のひらを確認する。マメも怖々覗《のぞ》き込むと、手のひらを斜めに火傷《やけど》が走っていた。

「……それほどひどくはないようですが、遠藤先生に来てもらいましょう」

遠藤先生というのは、近隣の外科医である。マメも以前包丁で指先をざっくりやってしまった時に診てもらった。

「アロエでも貼っておけば治るよ」

「そこまで軽くはありません。言うことを聞いてください」

「……はい」

洗足は頷《うなず》き、マメに顔を向けて苦笑してみせた。

その顔を見てやっとマメも胸をなで下ろす。同時に、ぼろぼろ泣けてきて困った。マメも困ったが、洗足はもっと困ったようで、水に浸《つ》かっていない手でマメを抱き寄せて「ごめんよ、泣かないでおくれ」と何度も詫《わ》びてくれた。

悲しくて、嬉《うれ》しくて、でもやはり悲しかった。

この人は人を傷つけまいとする。

甲藤のような人間に対してですら、そうしようとする。彼が受けるべき火箸《ひばし》を、自分に押しつけてしまう。そんな悲しい人を、マメは他に知らない。

遠藤先生に連絡すると、すぐに往診に来てくれた。

「火箸を握った？　師匠、いったいなにしてんのよ」

と呆《あき》れつつ笑っていた。医師が笑うくらいだから、深刻な状態ではないようだ。手際よく処置し「明日《あした》、被膜剤交換しにきてね」と帰っていく。

マメはにゃあさんとともに、遠藤先生を玄関まで見送った。

夜、洗足の熱が上がった。

手のひらも痛むらしく、珍しく解熱鎮痛薬を飲む。マメは心配でたまらず、邪魔かもしれないと思いながらも、眠る洗足の枕元に座っていた。そのまま数時間が経ち、夷に「もう寝なさい」と言われたのだが、ちっとも眠くならない。神経がずっと昂《たか》ぶったままで、マメを眠らせてくれないのだ。

不安だった。

具体的になにがどう不安なのか自分でもよくわからない。わからないからこそ、いっそう不安なのだ。薬が効いたのか、静かに眠っている洗足が、息をしているのかすら不安になり、そっと顔を近づけてみる。自分が息を止めて耳を澄ませると、かすかな呼吸の音が聞こえてきて、よかったと安堵する。

ふわりと洗足の瞼《まぶた》が開いた。

この人はたいてい、こんなふうになんの前触れもなく目を醒《さ》ます。

「どうしたんだい、マメ」

聞かれて「わからないんです」と答えた。

「胸の奥のほうに、すごく小さいけれど、いやな塊があるような感じです。痛いっていうことじゃないけど、気になってだめなんです」

「……予感がするんだね？」

「そうなんでしょうか。でも僕、予知能力とかそういうのないし」

「そうだね。《小豆《あずき》とぎ》に予知能力はない……でもおまえは純粋な子だ。透き通った水晶は向こう側をよく映す……。マメの中に悪い予感があるなら、用心するに越したことはない」

悪い予感、と言われ、マメは慌てて「大丈夫です」と主張した。

「そういうんじゃないです。きっと悪いことなんて起きませんよ。先生の風邪も火傷もすぐ治って、自殺に見せかけた事件も解決して……脇坂さんが美味《おい》しいお菓子を持って家に来てくれます。きっとそうです」

「……ああ、そうだね」

「絶対にそうです」

言い張りながら、また泣いてしまいそうだった。けれどここで泣いてしまったら、洗足は無理をしても起き上がり、マメを慰めてくれるだろう。そんなことはさせたくないので、喉奥《のどおく》に力を入れて涙を堪《こら》える。

「……今夜はここで寝るかい？」

「……え……いいんですか？」

「たまにはいいさ。どうやら私の風邪はマメにはうつらないようだし……布団を持っておいで」

「夷さんに怒られないかな」

「芳彦が何か言ったら、芳彦の布団も持ってきていいよと言ってやんなさい」

冗談めかして洗足が言うので、マメはやっと「ふふ」と笑うことができた。

久しぶりに洗足と布団を並べて眠れる……外見はともかく、実際の年齢はもういい年なのにちょっと恥ずかしいけれど、とても嬉しい。一緒の部屋で眠るなんて、家族だけが持てる特権だと思った。

久しぶりに洗足の隣で眠った。

目を閉じて洗足の寝息を探しているうちに、マメも自然と眠ってしまっていた。途中で夷が様子を見に来たような気もしたけれど、夢だったのかもしれない。

※

お久しぶり。元気ですか。

あ、なんか今、ちょっといやな顔してる金子くんが見えた。あたしからのメールをうざいと思ってるんでしょ？　でも違うから。また会ってほしいとか、そういうんじゃないから。ママのお葬式に弔電のひとつもくれなかったモトカレになんか、なにも期待してないので安心してください。うちも色々あって大変だったけど、もう落ち着いているので。ママがいなくなった以上、あたしは新しい人生をスタートするしかないし、それを応援してくれる人もいるし。わかりやすく言うと、もう彼氏できたので、心配ご無用という意味です。詳しくは書かないけど、すごく格好良くて、頭もいいということはお知らせしておこうかな。なので、あなたにつきまとうことはあり得ません。

メールしたのは、お金のこと。ふたりで旅行の積み立てしてた半分、返してもらわないと。五万円くらいはあるでしょ？　あれ、現金書留で送っておいてください。あたし、彼と旅行に出る予定があるから、なるべく早くね。遠くに行く予定です。たぶん海外。

ああ、すごく楽しみ。

新しい人生が、始まるの。

七

「最初に申し上げておきますが、本日の半東《はんとう》はまったくもってド素人です。数々の失礼もあると思いますが、寛大なお心で見守っていただけますようお願い申し上げます」

点前座《てまえざ》に凜《りん》と居る、洗足が言う。

その後ろの半畳で、脇坂はほとんどパニックに陥っていた。半東。自分が半東。半東という言葉の意味を、今さっき知った自分が半東なのである。

半東というのは、茶会において亭主の手伝いをする役割のことだ。茶の湯の世界では亭主のことを『東』とも呼ぶらしい。客が西側にいて、亭主は東を向くことになる……というのが語源だと聞いた。半東になぜ半がつくのかまではわからない。半人前という意味なのだろうか。もちろん脇坂は半人前どころではなく、0.03人前くらいだ。それでも多いと洗足に叱られるかもしれないが、その洗足が脇坂に半東を命じたのである。時代劇だったら「ご乱心召されたかッ」と聞きたくなるシーンだ。

妖琦庵。

母屋ではなく、茶室の妖琦庵で脇坂は冷や汗をかいている。

何度かここでお茶を頂戴《ちょうだい》しているのだが、いつも夜だったので、日中にいるのは少し不思議な感じだ。四畳半の鄙《ひな》びた空間に、障子越しの柔らかい光がボゥと射し込んでいる。四月下旬、桜が終わった薄曇りの春だ。中庭のピンクの花……海棠《かいどう》、だったか。満開になればさぞ綺麗《きれい》だろうが、なぜかいまだ頑として開いていない。

「また、私も左手がご覧のとおりでして」

洗足は包帯を巻いた手を軽く上げてみせた。

一昨日、鱗田と脇坂が帰ったあとで火傷《やけど》をしたと聞いたのだが、詳細は教えてもらっていない。数か月前、やはり左の爪を怪我していたのを思い出す。

「点前に多少の不都合があるかもしれません。それでも心を込めて立てさせていただきますので、よろしくお願いいたします」

洗足が頭を下げ、脇坂も慌ててそれに従う。亭主が頭を下げたらとにかく一緒に下げろと命じられていた。客人たちも同じように頭を下げる。ひとりを除いて、緊張した面持ちだ。

「私どもの流派は、あまり細かい形式に捉われません。どうぞお好きなようにお茶をお楽しみください。浅野さんは茶道の経験があるということで、本日の正客《しょうきゃく》をお願いいたしました。次客《じきゃく》に小田垣さん。そして警視庁の鱗田さんです。……申し遅れました。私は洗足伊織。この妖琦庵の亭主であり、妖人《ようじん》に関連する事件について、可能な範囲で警察に協力をしています」

客人はみな無言だった。

とくに女性ふたりは表情が硬く、明らかに戸惑っている。警察に請われてやってきたものの、まさか茶室に通されるとは思ってもいなかっただろう。無理もない。脇坂だって、洗足がこのふたりにお茶を振る舞うと言い出した時、なにがなんだかわからなかった。実のところ、今も洗足の意図がわかったわけではない。

ただひとつ、洗足がこの茶室に誰かを入れる時……それは重要な話をする時だということは、脇坂も理解している。

洗足が点前を始めた。

茶の湯の世界についてなにも知らない脇坂ですら、その静寂にして流麗な動きにはいつも見とれる。だが今日は見とれている余裕すらなかった。客たちに、タイミングよく菓子や茶碗《ちゃわん》を運ぶのが半東の仕事だ。ぎこちないながらも懸命にやってはいるのだが……きちんとできているのか、自分でもさっぱりわからないまま茶会は進んでいく。今日の菓子は桜を模した落雁《らくがん》だった。

鱗田は末席にぼんやりと座っている。ここに入るのは初めてのはずなのに、妙に落ち着いていた。もしや茶道に詳しいのかと思いきや、薄茶を飲む様子を見る限りそうでもなく、茶碗を五回も回していた。

とにもかくにも、全員が薄茶を飲み終わる。

「……そういえば」

左手に怪我をしていることなどまったく感じられなかった洗足が、口を開く。

「私はここにいるみなさんがどこの誰なのか存じ上げておりますが……女性お二人は今日が初対面でしたね？」

正客の浅野カオリが、洗足を見て「はい」と答えた。

「……茶会の前に少しお話しして……同じマンションに住む方だとうかがいました。また、同じ日に……あの事件の日に……」

声を詰まらせたカオリに、洗足が「いいのです。あなたが言う必要はありませんよ」と優しく声をかけた。

「では改めて、私がふたりをそれぞれご紹介いたしましょう。こちらは浅野カオリさん。お母様の名前は誉田敏美さんです。誉田さんは先だって、マンションのサービス棟屋上から転落し、残念ながらいまだに容態は重篤と聞いております。ご心痛の中、お呼びだてして申しわけありませんでした」

「いえ……捜査の、協力になると聞いたので……」

カオリは目を充血させながらも、しっかりとした声で言った。

「仰《おっしゃ》る通りです。今日あなたがたに妖琦庵へ来ていただくことは、事件に決着をつける上でどうしても必要でした。……さて、お隣は小田垣優紀さんです。カオリさんと同じタワーマンションで、お母様の小田垣貴子さんと一緒にお住まいでしたが……お母様は自ら命を絶たれました。カオリさんのお母さんの事件と、同日の出来事です」

小田垣優紀はうつむいて畳を睨《にら》んだまま、小さく頷《うなず》くだけだった。

ようやく落ち着いてきた脇坂は、カオリと優紀をなんとなく見比べる。年齢的にも近く、身内に不幸が起きたという点も共通しているのだが、パッと見の印象はだいぶ違う。カオリはごくシンプルな濃紺のワンピースで、それでも衿《えり》周りの刺繍《ししゅう》を見れば高級品だとわかる。膝丈《ひざたけ》も茶室に相応《ふさわ》しく長めにしてあり、髪はアップにまとめていて上品な印象だ。娘のみこちゃん……美湖《みこ》、と書くそうなのだが、彼女は保育所に預けてきたと、広間で話してくれた。

一方優紀は、体格的には大柄だ。やはりワンピースなのだが、茶会にはやや派手と思われる花柄だった。ウェーブのある髪は下ろしてある。わりと強いウェーブで、癖毛というよりパーマなんじゃないかなと脇坂は思った。広間でカオリがぽつりと「……地味な方だったのに」と呟《つぶや》いていたのを思い出す。同じマンションの住人なのだから、すれ違ったことくらいはあるのだろう。

「奇《く》しくもおふたりとも、同じ日にお母様に大変なことが起きたわけです。ある意味これもひとつの縁といえましょう。ここでともに一服していただき、私の話を聞いていただきたいと思ったのです」

「それはつまり……私の母の事件と関係あるお話なのでしょうか」

カオリの質問に洗足は「直接の関係はないですね」と答える。カオリの瞬《まばた》きが早くなった。洗足がなにを話すつもりなのか、脇坂も聞いていない。

「私の話の前に、鱗田刑事にいくつか報告をしていただきます。カオリさんのお母さん――誉田さんがマンションのサービス棟屋上から落ちた、あるいは落とされた事件についてです。まずは暗証番号と鍵《かぎ》について」

はい、と鱗田がいつもの黒い手帳を出し、ちまちました文字を見ながら説明を始めた。

「サービス棟の屋上に出るには、暗証番号と鍵が必要でした。当初自殺と思われていた誉田さんがどうやってそれらを入手したのか……ずっと疑問だったわけです。誉田さんの意識が回復し、自殺ではなく殺人未遂の可能性が出てきたわけですが、だとしても犯人はどうやって暗証番号や鍵を入手したのか。今回、情報提供者によって、マンションの管理員である杉下が、ある男に鍵の複製を渡していたことがわかりました」

カオリが声を上擦らせる。

「で、ではその男が母を？」

鱗田はあくまで落ち着いた声音で「いいえ」と答えた。

「そこからさらに別の人物に鍵は渡っています。現在調査中ですが、おそらく何人か介在し、最終的な実行犯に渡ったものと考えられます。暗証番号もこの時一緒に知らされたはずです」

「そうですか……」

肩を落としたカオリに、優紀が「大丈夫？」と声をかけた。カオリは「ええ、大丈夫」と弱々しく頷く。

「もうひとつ、防犯カメラについてです。屋上に出るためには必ず通らなければならない通路の防犯カメラ映像が消去されていました。当初、杉下はカメラの故障と言っていたのですが、これは嘘であり、自分が記録映像を消去したことを自白しました。鍵の複製、記録映像の消去、ともに暴力団関係者からの強要です。杉下はヤミ金業者に多額の借金があり、この強要を断れなかったと話しています」

「……なんだか……とても計画的ですね……」

呟くようなカオリの言葉に鱗田が「仰るとおりです」と頷いた。

「でも、うちの母は人様から恨みを買うようなことはしていません。確かに勝ち気で、多少言葉にきついところのある人ですけど……ちゃんと気遣いもしますし、責任感は人一倍あるんです」

「はい。誉田さんと交流のある方はみなさんそう仰ってました。聡明《そうめい》で、責任感、正義感の強い方だと」

「ええ。母はそういう人です。……立派な、人……なのに、なのに……」

とうとうカオリが声を詰まらせて俯《うつむ》く。

膝《ひざ》の上の拳《こぶし》が震えていた。母親はいまだ生死の境をさ迷っているのだ。なぜこんな目に遭わなければならないのかと悲しみ、憤るのも無理はない。そんなカオリの様子を、洗足がじっと見つめている。

「……ですが、犯人の計画には穴がありました」

鱗田は口調を変えずに続けた。

「屋上への通路の防犯カメラ映像は消去させたのに、サービス棟の入口のカメラにはなにもしていないのです。当然のことながらここを通過しなければ屋上へは行けませんので、犯人からすれば手痛いミスと言えます」

「も……もしかして、杉下という人が消し忘れたとか……」

おずおずと切り出したのは優紀だ。鱗田はそれを受けて「犯人に命じられていたのに、入口の映像だけ消し忘れたということですか？」と聞く。

「は、はい……素人考えですけど……」

「それはないと思われます。杉下の話によると、逆に『ほかのカメラ映像は一切弄《いじ》るな』と言われていたそうですから」

「あ……」

優紀がなおさら背を丸めて、すみませんと蚊の鳴くような声で言った。

「謝る必要はありませんよ、優紀さん。あなたもとても辛《つら》い思いをしていらっしゃる。お母様の件、お悔やみ申し上げます」

フォローしたのは洗足だった。優紀はぎこちなく畳に手をつき「ありがとうございます」と礼を言う。

「明るい母だったのに……驚きました。脚のことであんなに悩んでいたなんて」

「あんなに？」

語尾を上げた洗足に「あ、遺書が、あって」と優紀は言い添える。

「そこに書いてあったんです。母は杖《つえ》がなくては歩けなかったので、外出にはいつもあたしが付き添っていました。あたしに迷惑をかけるのが申し訳ないと……」

「そうですか……娘さんのことを思いやっていたのですね」

「……ええ」

なにかを思い出すような目をして、優紀は答えた。

そして小さく「でも、もういない」と呟く。カオリも優紀も大きな喪失感に包まれているようだった。

「ところでおふたりにお聞きしたいことがあります。それぞれのお母様の妖人《ようじん》属性についてです。鱗田刑事に調べてもらったところ、比較的最近、属性変更の届けが出ているのですが、ご存知でしたか？」

ふたりは同時に、え、という顔をした。数秒の間があって、「いいえ、知りませんでした」とそれぞれ答える。

「妖人属性って……変更できるものなんですか？」

カオリが聞き、洗足が「できますよ」と答える。

「まあ、お役所の妖人台帳の属性など、実のところ信頼に値するものではありませんがね。……誉田さんと小田垣さんの属性変更届は、委任状が添えられていました。つまりご本人が出したわけではない」

「あのう……あたし、刑事さんに母の妖人属性が《オバリヨン》だと知らされた時、驚いたんです。そんな妖人聞いたこともなかったし、母の口からも出たことのない言葉でした。いったい、誰がそんな届けを出したんでしょう？」

優紀の疑問にカオリが「私も同じです」と続ける。

「今回の事件で、初めて母の妖人属性が《どうもこうも》だと知りました。図書館まで行って、どんな妖人なのか調べてみましたが、なんだか不思議な昔話が出てくるだけで……母がなぜそんな妖人登録をしたのか、まったくわからなくて。その委任状は誰の名前になっているんでしょうか」

しきりに不思議がるふたりの娘に、洗足はいたって平らな口調で「あなたがたです」と答える。

カオリと優紀は軽く目を見開き、数秒間言葉を失っていた。やがてそれぞれ早口に「ち、違います」「あたしじゃありません」と言い出した。

「ですが、委任状にはあなたたちの名前が記されていました。また、委任状を持って来た人は身分証明書を提出してるはずです」

「で、でも本当に違います。あたしたちじゃありません」

そう言い張った優紀に、洗足は「あたしたち？」と聞き返す。

「あ……だ、だから……カオリさんも違うって言ってるし。あたしも違うんです。きっと誰かが、あたしのふりをして役所に行ったんだと思います」

「ええ、その可能性はありますね。身分証明書の偽造は難しいことではないので」

「そ、そうでしょう？　だってあたしもカオリさんもそんなことする必要ないもの。母親の妖人属性を変更する必要なんてありません」

「カオリさんも同じご意見ですか？」

「は、はい……。いったい、誰が……」

「おそらくは、あなた方のよく知る人の企みですよ」

さらりと答えた洗足を、ふたりの女性は戸惑いながら見つめる。

「いや……よく知っているようで、実のところあなた方はなにも知らない。なにも知らないからこそ、こんなことになった」

「あの、いったいなにを……」

カオリと同じ質問を脇坂もしたかった。いったいなにを言ってるのですか？　なんの話なんですか？　と。けれど今口を出せば叱責《しっせき》されるのはわかりきっている。ぐっと我慢するしかない。鱗田は事情を知っているのだろうか。じっと様子を見守っているだけの表情からはなにも読み取れない。

「防犯カメラの話に戻しましょう。エントランスの防犯カメラは映像を撮り続けていました。当然、サービス棟に入る誉田さんの姿も映しています。誉田さんはひとりでサービス棟に入ってきた。屋上から飛び降りる、あるいは落とされる十五分ほど前です。そうですね、鱗田刑事」

「はい。かなり早足で慌てているような様子でした。……もうひとつ申し上げておきますと、誉田さんがサービス棟に入る二十分ほど前に、カオリさんが入ってくる映像が確認されています」

「あ……はい、あの日は託児サービスに行ったんです」

すんなりとカオリは認める。

「なんだか風邪っぽかったので、私が医者に行くあいだ、娘の一時預かりを頼めないかと思って……」

「確かに、娘さんを抱いたカオリさんの姿が映ってました。しかし数分後、また娘さんを抱いて出て行く姿も映っている。託児サービスは使わなかったんですか？」

「それが、使いたかったんですけれども、断られてしまって。四歳になる娘なんですが、保育士さんいわく『体調が悪そうだから』と……。言われてみれば妙に怠《だる》そうにしてて……これはおかしいと私も思い直し、自分の病院どころじゃなくなりました」

「では、娘さんを小児科に連れていったんですか？」

「……いえ……その直後、母のことがあったので……」

声のトーンを落としてカオリは言った。その直後に母親が屋上から落下したのだ。さぞかし気が動転したことだろう。

「ああ、そうでした。大変な一日だったんですね」

「娘のほうは、しばらく寝かせたら元気になって、それはよかったのですが……」

「カオリさんがサービス棟を出て少しした頃、誉田さんが屋上から落下しています。……こんなことを申し上げるのは心苦しいのですが、刑事というのは厄介な仕事でしてね。いろいろな事件を捜査するわけです。傷害や殺人などの残酷な事件も多い。そういった事件の場合でも、犯人が身内ということは珍しくないんです。ですから私も、誉田さんが何者かに殺されかかった可能性が出てきた時、最初にご家族から調べさせていただきました」

「…………そう、なんですか……」

「まったく業の深い仕事です。……が、結論から言えば、誉田さんのお身内には全員アリバイがありました。旦那《だんな》さんは仕事で地方にお出かけ中でしたし、それを証明する人が複数います。そしてカオリさんは先程申し上げた通り、監視カメラに映っている。疑いようがありません」

「…………」

カオリは言葉のないまま頷《うなず》くだけだ。心なしか顔色がよくない。

「家族なのに疑われてしまうなんて、悲しいですね」

庇《かば》うように言ったのは優紀だった。鱗田は首を竦《すく》めるように「本当に申しわけないことです」と詫《わ》びる。確かに疑われる方は傷つくだろうが、先程鱗田が言ったことは間違っていない。統計年度にもよるが、殺人の半数が親族による犯行という年もある。それが現実だ。

「防犯カメラに映っている中には、まだ確認が取れてない人が複数います。その中に犯人がいる可能性も否めません」

「きっとそうです。……早く見つかるといいですね、カオリさん」

「ありがとうございます……」

慰めあう女性たちを、洸足はどこか観察するような目で見ていた。

かと思うと唐突に、

「そういえば優紀さんは、お母様が亡くなられた夜、ご自宅にいらっしゃらなかったと聞きましたが」

などと言い出した。それ、今言う必要ありますか？　と脇坂は内心で冷や汗を掻《か》く。

案の定、優紀は気分を害したように「事情があったんです」と眉《まゆ》を寄せる。

「どんな事情かうかがっても？」

あくまで淡々と尋ねる洸足に、優紀はためらいつつも語り始めた。

「……あたしと母は……性格的には正反対のタイプでしたから、たまにはケンカもしたんです。その日も……ちょっと言い争ってしまって、頭を冷やそうと思って出かけました。何だかひどく気分が落ち込んでしまって、なかなか帰る気になれなくて……ネットカフェで朝まで時間を潰《つぶ》して……」

優紀が家に戻った時、風呂場《ふろば》の灯《あか》りがついていたという。だが母親に朝風呂の習慣はない。なにかいやな予感がして風呂場を覗《のぞ》くと、浴槽は真っ赤だったという。

「倒れている母を見た時は……なにかの冗談なんだと思いました。またお芝居でもしてあたしをからかってるのかと……でも……でも母は血まみれで……何度確かめても息をしてなくて……」

優紀の声は上擦り、身体は小刻みに震え出した。カオリがその肩を抱いて「落ち着いて、大丈夫」と励ます。

「本当に……母は、本当に死んでしまいました……」

「……ええ。亡くなってしまいましたね」

洗足の声が冷静すぎるように感じるのは脇坂の気のせいだろうか。見た目に反して情に厚い人のはずなのだが、今日の洗足はどこかよそよそしさを感じる。

「おふたりにはつらいことを思い出させてしまい、申しわけありませんでした。さて、事件に関してはこれくらいにして……私が聞いてほしかった話をいたしましょう。ひとつの昔話です」

ふいに茶室の中が暗くなる。

まだそう遅い時間ではないはずなのに——雲が厚くなったのだろうか。脇坂は障子窓を見た。さっきまでの白っぽく柔らかな光は失われている。薄暗い中の亭主は、濃鼠《こいねず》の着物に黒い羽織と、まるで不吉な影のようだ。

「ある子供と……その母親の悲しい物語」

洗足の声。

誰かの息を呑《の》む気配。

誰だったのか。ほんの僅《わず》かな気配なのでわからない。脇坂の気のせいだったのかもしれない。

「母親は我が子をとても愛していました。あまりに愛していたためか、彼女は子供と自分を同一視していました。子供は彼女のものというより、彼女自身だった。より若く、より可愛らしく、より瑞々《みずみず》しい自分……。母親は子供に名前をつけることすらしなかった。名を与えることは個を認めることになります。それを無意識のうちに避けていたのかもしれない。ただ『あたしの子、あたしの娘』と呼んでいました。しかし当然のことながら、子供は母親と同一ではない。母親から生まれたにしろ、まったく別の人間です。母親はそれを認めることができなかった。子供の父親はすでにおらず、母親に残されたのは子供だけ。子供だけが彼女の生きる意味となり——我が子は自分の理想どおり育つと思い込みました」

脇坂はまったく知らない話だった。

どこかの地方の民話だろうか。それにしても、民話や昔話にあるほのぼの感がまったくない。むしろ背中が寒くなるような不穏さを孕《はら》んでいる。

「彼女は我が子を支配し、束縛しました」

カオリと優紀は俯《うつむ》いたままじっとしていた。

妖琦庵の中はますます暗くなり、ふたりの表情がほとんどわからない。

「母子《おやこ》は山奥の廃屋に引きこもり、子供は学校にも行かせてもらえず、母親が用意したレースとフリルのワンピースで飾られ、人形のように扱われました。母親はめったに子供を外に出しませんでした。日に焼けたり怪我をすることを恐れたからです。それでも子供は逆らわなかった。母親を愛していたし、母親の愛を信じてもいたからです。さらには世間から隔離状態にあったため、母を頼るより生きる術《すべ》はなかった」

ザザザッと音がした。

洗足以外の全員がビクリと震える。裏の竹藪《たけやぶ》から鳥でも飛び立ったのだろうか。

「母親は美しく、子供は母に似て大変可愛らしい顔立ちをしていました。子供は母親の理想どおりに育っているように思えましたが……十歳くらいから、状況が変わります。子供の身体つきが変わってきました。背丈が伸び、か細いはずの腕に筋肉がついてきたのです。母親は狼狽《ろうばい》しました。透ける羽根を持つ妖精《ようせい》のような少女……そんな理想とかけ離れていく子供の成長を、なんとしても止めなければと思いました。どうすればいいのか？　食事をさせなければいい。母親はそう思ったのです。……そう、彼女はとっくに正常ではなかった。伸びようとする骨を止めるためには、身体中に包帯を巻けばいい。母親はそう思ったのです。……そう、彼女はとっくに正常ではなかった。子供に包帯をきつく巻き、成長を促す太陽の光から遠ざけ、家の中に閉じ込め……自分が留守をする時は、子供を鎖で繋ぎました」

ぞわり。

脇坂の背中が総毛立つ。

これは昔話というより怪談だ。しかも、脇坂が今まで聞いた怪談の中でも、一、二を争う怖さである。

山奥の、隔離された廃屋。繫《つな》がれ、包帯を巻かれた、やせ細った子供……。

「その状態がもう少し続いたら、子供は命を落としていたでしょう。辛うじて外部から救いの手が差し伸べられました。子供は母親から引き離され、新しい世界を知ります。めでたしめでたし……と言いたいところですが」

まだ、なにかあるのか。

脇坂はごくりと唾《つば》を飲み込む。

妖琦庵の中はどんどん暗くなり、もはや全員が影のようだ。

「母親は子供を諦《あきら》めていませんでした。鬼女さながらに錯乱し、我が子を取り戻そうとします」

――可愛い子。私の可愛い娘。こんなに愛しているのに。なにもかもおまえのためにしたことなのに。どうしてわかってくれないの……？

脇坂の耳の奥で、そんな声が聞こえる。思わず首を軽く振って、幻聴を耳から追い出した。それでもまだ鼓膜にべたりと貼りついているようだった。

「歪《ゆが》んだ愛情というのは、時に、憎しみよりたちの悪いものです。子供はきっとこう思ったでしょう。自分はこの人から逃れられない。この女は一生自分を追い回すだろう。

『私の愛する娘』と言いながら、人生を食い潰しにくる。このままでは自分は生きながら殺され続けるだけだ。もし、逃げる方法があるとすればひとつだけ……」

みしりと畳が軋《きし》む。

洗足が動いたようだ。

ポゥ、と小さな灯《とも》りが生まれて、隻眼の白い顔が浮かび上がった。茶室があまりに暗いので、蠟燭《ろうそく》に火を点したらしい。

「母を、殺すしかない」

ひゅっ、と誰かの喉《のど》が鳴る。

脇坂ではないし、鱗田でもない。カオリか優紀だ。どちらなのかはわからない。怖い。なんでこんなに暗いのだろう。寒いのだろう。不安なのだろう。脇坂は助けを求めるような気持ちで洗足を見た。薄墨を流したような茶室の中で、洗足の顔だけが輪郭を明白にしている。けれど燭台《しょくだい》を畳の上に置いてしまうと、それすらもスッと遠くなってしまうのだ。

「その母子がどうなったのかはわかりません。曖昧《あいまい》に終わる昔話もあるのです。あるいは、曖昧にしておいたほうがよいと判断されたのか。……ああ、ずいぶん暗くなりましたね。お茶会はここまでといたしましょう」

薄闇の中、洗足が真のお辞儀をするのがわかった。脇坂と鱗田も、それに倣って頭を下げたが、カオリと優紀の動く気配がない。

そのまま、洗足は水屋に下がり、姿を消した。

しまった、半東はいつ退席するんだったか。脇坂はすぐに立ち上がろうとしたのだが、いつものごとく足が痺《しび》れていて、うまく動けない。

「……ひと晩待つように、先生に言われています」

ぼそりと鱗田が言った。脇坂にではなく、ふたりの女性にだ。

「私はそれに従います。が、明日には上に報告し、被疑者に出頭を要請することになるでしょう」

「ウロさん……？」

被疑者？　なんの話をしている？

戸惑う脇坂を無視して、鱗田は続けた。

「先生は仰《おっしゃ》っていました。被疑者たちを唆《そそのか》した者がいると。もしそれが本当ならば、情状酌量の余地があり、自首することによって刑の軽減もあり得ます。……たとえ世界の果てまで逃げたとしても、罪の意識からは逃げられません。カオリさんには娘さんが、優紀さんにはお兄さんもいらっしゃる。そのあたりを、よく考えてください」

とくに声を荒げるでもなく言うと、鱗田は大義そうに立ち上がり、「脇坂、行くぞ」と声をかけてきた。急かされるまま脇坂も立ち上がる。よたよたと茶室を移動し、とても出にくい躙《にじ》り口から中庭に出た。

わけがわからない。

じんじんしている脚を叱咤《しった》し、鱗田の手を引っ張るようにして、駐車してあった車に戻った。中庭で話せば筒抜けだからだ。

「ウロさん、今のどういう意味です？　まるで彼女たちが被疑者みたいな……」

「被疑者なんだよ」

はっきり言われて、思わず口が開く。

「か……彼女たちが母親を殺したっていうんですか？」

「ああ」

「そ……っ、じゃあカオリさんは、自分が殺そうとした母親に会いに、毎日病院に通い続けていると？　優紀さんは、自分の母親の手首をざっくり切って、自殺に見せかけたと？　それは飛躍しすぎというか、だいたい動機もないし、親を手に掛けるなんてそう簡単には……」

「おい、ふたりが出てきたぞ」

鱗田に言われて、窓の外を見る。

カオリと優紀はふらふらと路上に出てきて、向かい合って立ち尽くしている。会話する様子はなかった。ふたりとも呆然《ぼうぜん》として、なにを喋《しゃべ》ったらいいのかわからない……そんなふうにも見える。

「……あのふたりにやましいところがないなら、俺に食ってかかってるはずだ」

その点は鱗田の言うとおりだ。

彼女たちが潔白ならば、被疑者扱いされた時点で強く否定し、怒ってしかるべきなのに……そういうリアクションはなかった。では本当に彼女たちが自分の母親を殺したのか？　いや、それはあり得ないはずだ。

「だって、アリバイがあるじゃないですか！　カオリさんはサービス棟から出て行くところが防犯カメラに映ってるし、優紀さんにしても死亡推定時刻に自宅にはいなくて、ネットカフェに……」

「そうだな。アリバイがしっかりある。ありすぎるくらいに。……ふたりが移動し始めた。まっすぐ帰るとは思うが……。脇坂、尾行しろ」

「えっ、あ、はい」

命じられ、脇坂は車を降りた。鱗田が窓を開け「俺は先にマンションに移動して、見張りの人員を配置する」と告げる。

「わ、わかりました」

彼女たちが本当に被疑者なら、逃走する恐れもあるのだ。

脇坂はふたりと一定の距離を置いて歩き出した。もともと尾行は得意でないうえに、相手に顔を知られているので、かなりの距離を空けなければならない。撒《ま》かれてしまうのではないかと冷や冷やしたが、彼女たちは通常のルートで自宅のマンションまで戻った。かなり狼狽《ろうばい》しているのか、尾行されていることを想定する余裕もないようだ。

やっぱり不自然だ。

ふたりが母親を殺害した、あるいはしようとした動機がない。

仮に脇坂の知らない動機があるのだとして、アリバイはどうなる？　巧みにアリバイ工作をした可能性は……だが、あのふたりにできるだろうか？　そこまで綿密に計画された、無慈悲な殺人が……。

……いや、待て。

鱗田は言っていたではないか。ふたりを唆した者がいると……。

その瞬間、脳裏にある男の顔が浮かんだ。

またか。

また、あいつなのか。

違う、常にあいつなのだ。いつ出てきても不思議ではないのだ。洗足伊織が関わった瞬間から、奴の影はあったはずだ。逆なのか。奴の影がある世界を、洗足は無視できないということか。

――いっそあれを、殺せればいいのにと思いますよ。

洗足の、あの言葉が忘れられない。

聳《そび》え立つマンションを見上げて、脇坂は無意識に唇を強く噛《か》んだ。

闇。

の、中に、ひとつだけの灯《あか》り。

闇の中に生まれ、闇の中に育ったならば、闇は認識されない。黒い紙の上に一滴の墨を落としても気にならないのと同じだ。その者にとって闇は普通であり常態であり常識となる。もしかしたら安らぎですらあるかもしれない。そうだとすると、今、妖琦庵の中にひとつ揺らめいている蠟燭《ろうそく》の炎……この灯は、闇に暮らす者にとって不快な存在だろう。黒い紙の上に落ちた、一滴の白い絵の具だ。それがなければ綺麗《きれい》な、純粋な、心地よい黒になる。

ゆら。

灯りが揺れる。

限られた視野の中、手が現れる。節の高い男の手だ。爪は短く、形も整っている。中指と親指が、ためらいもせず燃える蠟燭の芯《しん》を摘まんだ。

灯りは失われる。

闇。

炉の炭も落ちかけている。なにも見えない。だが気配は濃い。さっきからずっとだ。あの男がいつ入ってきたのか、どこに座っていたのか、伊織にはとうにわかっていたし、今もわかる。たったひとつの灯りを潰《つぶ》した後、静かに客畳に戻り、座している。背筋を伸ばし、きちんと正座している。茶を所望しているのだ。

伊織は点前《てまえ》を始める。

闇の中でもなんら問題はない。袱紗《ふくさ》をさばき、棗《なつめ》の甲を清める。茶杓《ちゃしゃく》も清め、棗の上に置く。茶筅《ちゃせん》通しのために釜《かま》の蓋《ふた》を開ける。闇の中で湯気がぼぅと立ちのぼる。ずしりと重い黒織部の茶碗《ちゃわん》を清める。

茶を点《た》てる。

無心になりたいと思うが、そう思った時点で無心からはほど遠い。ふいに母親のことを思い出す。生きていたら、まだまだだね、と伊織を笑うだろうか。

左掌《ひだりて》に茶碗をのせ、回す。

正面を正して出す。

あの男が動く。茶碗を取る。作法を無視して気ままに喋ることも多い男だが、今日はなにも発しないまま、茶を飲む。

吸いきりの音が響く。

茶碗が畳に置かれる。

無音。

動かない。男も、伊織もだ。

風も凪《な》いだのか、常に聞こえているはずの、竹藪の葉擦れすら消えている。

「具合が悪いのか」

静寂を破った声に、伊織は「なぜ」と聞き返した。

「茶の味が少し違う」

「そんな日もある」

「おまえ、熱があるだろう」

「さあ」

「女たちに自首を迫ったな」

「そうだ」

「ふたりとも殺したがっていたぞ」

「嘘をつくな」

「本当さ。母親が憎くてたまらなかったんだ」

「『憎い』と『殺したい』は違う」

「繋《つな》がることもある」

「誰かが無理に繋げればな」

クク、と喉奥《のどおく》で笑う音。

「そうさ。俺が繋げた。愛情と憎悪と殺意……実に繋ぎやすい。ついでに絆《きずな》も作ってやった。母親に支配され続けた娘たちの絆だ。人間は絆ってやつが大好きだろう？　あれ、もともとは犬や馬を繋いでおくための綱のことだっていうじゃないか。自由になりたがるものを、束縛するのが絆だったわけだ。笑えるな？」

ざり、と男の膝《ひざ》が畳を擦《こす》る。

気配が近くなる。茶室において畳の縁は一種の結界だ。だがこの男にそんなものはまったく関係ない。易々と超え、もうすぐそこにいる。

煙草のにおい。奴自身のにおい。

「伊織」

呼ばれれば、吐息すら感じ取れる。

「爪はもう生えたか？　その包帯はどうした。怪我なんかするなよ。それくらいなら皮一枚でもいいから喰《く》わせてくれ」

「お断りだ」

「おまえの髪を焼いて粉にして、一服立てたらうまいかな」

「カイ」

こう呼ぶのは久しぶりだった。

何年ぶりなのか、伊織自身ですら覚えていないほどだ。甲斐児《かいじ》という名は伊織の母がつけたもので、三人で初めて歩いた地名からとっている。それを縮めてカイと呼び始めた頃……まだ伊織は十二か、十三か。

「……そう呼ばれるのが好きだった」

ずいぶん間を置いて、応《こた》えがあった。

「いつまで続ける気だ」

「あの頃、おまえはまだ声変わりしていなくて」

「母親を憎む娘を操って、満足か？」

「女の子みたいな声で俺を呼んでた。カイ、って」

「自分と同じことをさせて、楽しかったか？」

「初めてもらえた名前だった。俺は名前を呼ばれるたびに、自分を認識し、承認した」

「おまえが何人殺そうと、一緒には行かない。他人の命と引き替えに、自分の人生を売るほど<ruby>お人好《よ》</ruby>しじゃない。……あたしが本当はひどく冷たいことを、おまえは知っているはずだ」

「……ああ、知ってる」

気配が遠ざかる。

頬を指先が掠《かす》めていく。それがやけに冷たく感じられたのは、本当に熱があるからかもしれない。そう思った途端に、身体がズシンと重くなった。肩に石でも載せられたようで、姿勢を保っているのがつらくなる。

「おまえは優しくて冷たい。面倒見がいいようで、他人と身内の線引きは厳格だ。だから俺を、身内という結界から弾《はじ》き出した」

頭が痛い。

闇が耳から侵入して、脳を圧迫する。かろうじて見える茶釜《ちゃがま》の輪郭が歪《ゆが》む。

「弟だっていうのにな」

立ち上がる気配。

声の位置も高くなる。

「血の繋がりは半分だが、弟だ。……絆があるんだよ。俺たちにも、否応《いやおう》なしに」

絆。

犬を、馬を、繋いだもの。自由を奪った綱。

伊織は右手を畳についた。目眩《めまい》がして、身体を起こしていることが難しくなったのだ。障子の外がかすかに明るくなる。月が出たのか。いや、母屋の灯りがついたのだ。主《あるじ》の異変を察した家令が目覚めたのだろう。

「あいつらが自首すると思うか？」

嘲笑《ちょうしょう》を含んだ声が遠ざかる。

「母親殺しを素直に告白すると思うか？　悔《く》やんでいると思うか？　……だとしたら、気が知れないね。俺なんか、百回だってあの女を殺れる《や》ぜ」

「――嘘をつくな」

さっきも同じ台詞《せりふ》を言ったなと、頭痛の中で伊織は思う。男はなにも答えず、茶道口の開く音だけがした。亭主の使う出入口から去る気らしい。

「あたしは覚えている。おまえがあの時、どんな顔をしていたのかを」

一度は崩れた姿勢を立て直し、闇の中、だが間違いなく奴がいる場所を見据えて言った。中庭から夷の足音が近づいてくる。先生、と心配げに呼ぶ声がする。ここだ、と掠れた声で返事をした時、男はもういなくなっていた。

※

なに言ってるの？　あなたおかしいんじゃないの？　だいたいあなた誰なの？　どうして口を出してくるの？　……ええ、そうよ。知ってるわ。昔つきあってた人よ。でももういない。今どこでなにをしているか知らないし、どうでもいいわ。生きてても死んでても関係ないわ。だって、私はあの人に人生のすべてを捧《ささ》げようと思っていたけれど、あの人は笑って言ったのよ。そんなものはいらない。きみの人生なんかいらない。僕は僕の人生しかいらないって。あの人はそういう人。……ああ、あなたも知っているのね。あなたも捨てられたんでしょう？　いいのよ、無理しなくて。あの人は誰も愛したりしないのよ。自分しか愛せないのよ。もういいの。忘れたの。この子の親は私ひとり。私の子よ。私の可愛い娘。びっくりするほど私に似ているでしょう？　私の子供の頃に生き写し。目が大きくて、睫毛《まつげ》が長くて、お人形のよう………ちょっと、いいかげんにして。さっきからなにを言ってるの？　あなたどうかしてる。触らないで。私の娘に触らないでよ。やめてよ、包帯が取れるじゃない！　この包帯がこの子を守ってるのよ、私の可愛い娘を守ってるの！　何度言わせるのよ！　娘よ、女の子よ！　わけわかんないこと言ってんじゃないよ！　死ね！　殺すぞ！　おまえ殺すぞ！

かつてあなたは私の一部だった。小さな小さなたまごとして、私の中に存在していた。あなたは完全に私に依存しており、あなたと私は分かちがたいものだった。なぜ私だったのか。ほかの誰でもなく、私だったのか。私から生まれてきたのか。それは間違いなく奇跡と呼んでいいことなのだろう。

ありがとう。

私から生まれてくれてありがとう。

あなたを初めてこの腕に抱いた時、私がどれほどの幸福に包まれたか――少し照れくさいけれど、いつかあなたに話したい。

八

「王子様がそっとキスをすると、悪い魔女の魔法が解けて、お姫様は目覚めました。その可憐《かれん》な美しさに、王子様は言いました。姫、どうか僕と結婚してください」

「ぷろぽーず？」

膝の上の美湖が、私を見上げ、大きな瞳《ひとみ》をくるりとさせて聞く。

「そう、プロポーズね。王子様は優しい目をした立派な人だったので、お姫様は恥ずかしそうに頷《うなず》きました。お城中が眠りから覚め、華やかな舞踏会が始まります。森の妖精《ようせい》たちも祝福に駆けつけ、お姫様と王子様は、末永く幸せに暮らしました。めでたしめでたし……」

絵本に描かれた舞踏会のシーンを指でなぞり、美湖は「きれい」と言う。お姫様のひらひらしたドレスがお気に入りらしい。女の子はやっぱりこんな童話が大好きだ。

「おひめさま、まほうがとけてよかったね」

「そうね」

「わるいまじょはどうなったの？」

「……きっと、ばちが当たったんじゃないかしら」

そう答えると、美湖の顔がふいに真剣になった。

「ばち……てんていさまのばちがあたるのね。わるいことをしたから」

「天帝様って……誰に聞いたの？」

「おばあちゃま」

やっぱり、と私は少し笑った。笑いながら泣きそうになって慌てて瞬《まばた》きをする。幼い頃、私が悪いことをすると「天帝様のばちがあたる」と言われたものだ。私はよく知らないのだが、民間信仰の一種らしい。そういえば、とうに鬼籍に入った私の祖母も「天帝様に恥ずかしくないように」としばしば言っていた。

「おばあちゃま、めをさますよね……？」

心細げに言う美湖をぎゅっと抱きしめる。

「きっと大丈夫よ。また一緒に遊んでくれるわ」

「そうだよね。てんていさまがたすけてくれるよね」

「絶対に助けてくれるわ」

ますます強く抱きしめると娘が「ママ、くるしいよぅ」と笑った。リビングの時計は九時を回っている。もう寝ないとね、と言うと美湖は素直に「はぁい」と返事をした。とてもいい子に育ってくれているのは、私だけではなく母の助けがあったからだ。時に厳しく、けれど愛情を惜しむことなく接してくれた。

それなのに。

それなのに、私はなにをした？

美湖を寝かしつけ、愛《いと》しい寝顔をしばらく眺めていた。いつまでだって見ていられる。けれどこの寝顔を見るのも今夜限りだ。もし次に会える日が来たとしても、美湖は大きくなっているのだろう。そして私を憎んでいるかもしれない。そう考えると胸が張り裂けそうだったが、すべて自業自得だ。

明日の朝、自首する。

悪い魔法が解けたのだ。魔法が解けて目覚めたら、私自身が極悪人だった。決してしてはならないことをした。なぜあんな真似ができたのか、いまだによくわからない。

この手が人を殺したのだ。

さっきまで娘を撫《な》でていた、この手が。

その瞬間のことはよく覚えていない。やらなければいけない、もう後戻りはできない、そんなふうに考えていた気もする。実際はどうだったのか、どうしても思い出せないのだ。言い訳に聞こえるだろうが、本当に悪い魔法にかかっていたかのようだった。

母は死ななかった。

それを知った時、膝《ひざ》が崩れそうになった。

美湖がいなかったら、泣き叫んだかもしれない。ひどく安堵《あんど》した。死ななくてよかったと心から思った。

母を憎み、いなくなればいいと思ったのは本当だ。

ずっと母に支配され、心を殺されてきたというのも本当だ。それなのに私は、今も母の容態がよくなることを祈っている。母に生きていてほしいと思っている。だからといって、本当は母が好きだったとは言えない。母の存在が私にとって重すぎるものだったのは間違いなく、そこから逃げようと必死で、とにかく母から自由になりたくて……

…でも、だからといって、なぜ殺そうという結論に辿《たど》り着いたのか。しかもそれを実行したのか。もっと言えば、実行できたのか。

……魔法使いがいた。

悪い魔法使い。悪くて、ひどく美しく、魅惑的な。

あの男に出会わなければ、私はどんなに母を憎んでも、殺害を考えたりはしなかったように思う。……いや、それもまた自己弁護にすぎないのだろうか。私はずっと母を殺したくて、けれどそのスキルがなかっただけで、力を貸してくれる相手をずっと待っていたのだろうか。

なにもかもが、今更だ。

可哀想なのは美湖だ。母親が犯罪者に、しかも殺人犯になったのだから。夫にも申しわけないことをしてしまった。謝罪と、美湖のことを頼む手紙はもう書き終えた。自首するのではなく、自殺することも考えたけれど……それでは美湖の傷がもっと深くなるように思えてやめた。

ユキさんとは、帰りの道すがら少しだけ話した。

彼女は自首を迷っているようだったけれど、私は「もう無理よ。ここまでだと思う」と説得した。仮に彼女が自首しなかったとしても、私が出頭してすべてを話せば同じことなのだ。

——それに、ユキさんはきっと私より罪が軽いわ。

——そんなのわからないじゃない。

——どっちにしろ、もう刑事さんは全部知っているみたいだったし……。

——カオリさん、なんでそんなホッとした顔してるの？　信じられない……あたしなんか、心臓止まりそうなのに……。

そう、私は安堵していたんだと思う。

あの茶室……妖琦庵、と言っただろうか。

不思議な空間だった。そして不思議な人だった。長い前髪で顔を半分隠し、目は片方しか現れていないのに……でもすべてを見透かしていた。

あの場所で、もうすべて露見しているのだとわかった瞬間、心が軽くなった。これでもう終わりだと通告され、諦《あきら》めがついた。ひと晩の猶予をくれたことに感謝した。

今夜は美湖の好きなクリームシチューにしたのだけれど、久しぶりにちゃんと味がして、美味《おい》しく食べられた。人殺しのくせに、食事が美味しいなんて最低だけれど、でも美湖と一緒に「おいしいね」と言うことができて嬉《うれ》しかった。

いずれにしても、逃げ場はない。

ユキさんは自首することに同意してくれた。明日、美湖を幼稚園に送り届けたら一緒に警察に行くことになっている。朝になったら義理の母に連絡して、美湖のお迎えをお願いしよう。

そして裁かれよう。

私は人を殺《あや》めたのだから、それが当然だ。

なにも持たずに行こう。収容されれば私物は持てないはずだ。美湖の写真だけは持っていたいけれど、それは許されるのだろうか。……ああ、そうだ。私がいなくなったあと、家の中のことがわかるようにしておかなければ。とくに美湖の持ち物について、義母《はは》がわかりやすいようにリスト化しておいたほうがいい。

細々した用事を片づけているうちに、数時間がすぎた。このまま夜が明けそうだったけれど、眠いとは思わなかったのでべつに構わない。人殺しの私が心安らかに眠れる日は、もう来ないのかもしれないと思った。

ローテーブルに置いた携帯電話がメロディを奏でる。

ユキさんからだった。

「はい」

『……カオリさん、あたしやっぱり怖い』

「ええ、私も怖いわ。だけど、もう方法はないし」

『全然眠れなくて……。お願い、一緒にいて』

「でも、美湖が」

『ほんの三十分でいいの。そしたら、きっと落ち着くから』

どうしようか。

正直、あの部屋にもう一度入ることはためらわれる。優紀さんにこちらに来てもらおうかとも思ったが、話し声で美湖が起きてしまうかもしれない。とても子供に聞かせられるような話ではないから、結局、私のほうが赴くことにした。

時間を確認する。もう夜明けも近い。

お別れの朝が来る。

カーディガンを羽織って、私は部屋を出た。


「はい、ウロさん。期間限定国産黒豚使用アメージング肉まんです」

「……俺は普通の肉まんを買ってこいと言ったんだ」

「こっちのほうが絶対美味しいですから。僕のおごりですし！」

コンビニの袋を受け取りながら、鱗田が「肉まんぐらいでそんなドヤ顔されてもな」と言った。

「あんまんも入ってますよ。甘いのもあったほうがいいかなと思って」

「冷めないうちに食っちまおう。……もう夜明けか」

「ですね。うー、この時間帯は寒いなあ」

運転席で脇坂は首を竦《すく》める。

浅野カオリと小田垣優紀のふたりを尾行し、逃走することなくマンションに帰り着くのを見届けてから、すでに十時間ほどが経過していた。鱗田と合流してからは、夜通しで張り込みだ。今のところ、両者とも逃走する気配はない。二か所ある非常口側の見張りは、所轄の刑事が担当してくれている。

「最初、サービス棟のコンビニに行ったんですけど、閉まってました。あそこって二十四時間営業じゃないんですね」

「七時から午前零時までだ」

「なんだ、知ってたなら教えてくださいよ〜。そしたら最初から駅前のコンビニに行ったのに。あ〜、ピザまんじゃなくてカレーまんにすべきだったかなあ……」

脇坂が自分用に選んだのは、アメージング肉まんとピザまんである。張り込み中の問題は、食事とトイレなわけだが、近隣にコンビニがあればふたつの問題は解決される。

「うわ、なんであんまんから食べるんですか。あんまんは後でしょう」

「あんこがぬくいうちに喰《く》いたいんだよ」

「デザートを先に食べるようなものですよ？」

「うるさいよおまえ。俺のあんまんじゃなくて、ちゃんとエントランス見てろ」

「わかってますよ。………あんまんは、後だよなぁ……」

呟《つぶや》きながら、口の中にピザまんを押し込んで、お茶で胃に流す。夜食というより、明け方食だ。エンジンをかけていないので、車の中でも結構寒い。脇坂も鱗田も背広の上にコートを着込んでいた。

「……出てきませんね」

「あァ」

「ふたりとも、自首するんでしょうか」

「どうだかな」

「ウロさん」

「なんだ」

「ポッキーも買ってきたんです。好きでしょう？」

「おう。これは手が汚れなくていいんだ」

「……ウロさん」

「なんだよ」

「青目、ですか」

脇坂ははっきり聞いた。

鱗田はとくに躊躇《ちゅうちょ》するでもなく「たぶんな」と返す。

「また奴の脚本で、この自殺だか他殺だか事件が起きたわけですか」

「自殺じゃない」

両方とも他殺だ——鱗田はやや眠そうな声で言った。

刑事という仕事は、つまり淡々と人の生き死にを語る仕事なんだなと脇坂は痛感する。けれど、だからといって鱗田がなにも感じていないわけではないのだ。それくらいは相棒としてわかっている。

「ここで見張りながら……自分なりに考えてみたんです。今回の事件について」

「ふぅん。言ってみな」

「はい。まず、妖人《ようじん》属性についてです。《オバリヨン》と《どうもこうも》……これらは、両方、本人たちの申告ではありませんでした。それぞれ、委任状が添えられた修正届が出ていた。それを知った時、僕は娘さんたちが……つまりカオリさんと優紀さんが、勝手に属性申告をしたのかと思ったんです。つまり、自分にとって母親はこういう存在だという主張というか皮肉というか……」

足が不自由なことを言い訳に、娘に依存しまくる《オバリヨン》。

ひとつの身体に、ふたつの頭。まるで一心同体、絶対に離れられない……母の支配からは逃げられない、そういう象徴としての《どうもこうも》。

「でもよく考えてみると違和感がある。だって彼女たちは母親を殺害することを考えていたわけですよね。だとしたらその直前に、わざわざこんな修正するだろうか。自分が母親に対して、悪意を持っていたと証明するようなものなのに……」

「そうだな」

「これ、青目じゃないですかね」

ペットボトルの蓋《ふた》を閉めて脇坂は言った。まだぬくもりのあるペットボトルをそのまま懐に入れる。これだけで結構暖かくなる。

「青目が、身分証を偽装して、誰かを使い、属性の修正届を出したんじゃないかと思うんです。要するに……メッセージです。先生への」

洗足伊織への。

……兄への。

「ウロさん」

この話を鱗田としたことはない。聞いてからずいぶん経つが、衝撃があまりに大きすぎて自分の中で整理がつかず、ずっと口に出せなかったのだ。実のところいまだに整理できていないのだが、もしかしたら言葉にしたほうが考えがまとまるのかもしれない。その場合、聞いてもらう相手は鱗田しかいない。

「先生と青目の関係について、ご存知ですか」

「異母兄弟だな」

さらりと答えられたが、脇坂は驚かなかった。この先輩刑事が知らなかったら、むしろそっちのほうが驚きだ。

「知ったのはたぶんおまえのが先だよ。俺はつい最近、夷さんから聞いた」

「夷さんから？」

「先生が伝えろと命じたそうだ。戸籍上は赤の他人になってるが、血が繋《つな》がってるのは事実らしい。まあ、共通の父親という人物がどこの誰なのかさっぱりわからないんだが……。先生すら知らないっていうなら、お手上げだ」

「先生も？」

「生まれた時にはいなかったらしい」

そういえば、洗足から父親の話が出たことはない。妖琦庵は男ばかりの世帯だが、亡くなった母親の存在感はしばしばあった。洗足は母親を、「おっかさん」と呼び、夷と思い出話をするのを聞いたこともある。

「青目と先生の過去は俺も知らんよ。聞いて愉快な話でもないだろうしな」

「……ですね」

「青目がなぜ、先生にあそこまで執着するのかも知らん。知ったところで、青目の犯行を止めることはできないだろう。ただ、先生は気の毒だ。青目が動き、誰かが死ぬたびに、あの人は……」

鱗田が言葉を止めた。先を言うのがいやになったのだろう。

その気持ちは脇坂にもわかる。青目の画策で誰かが死ぬたび——洗足は自分を責めているはずだ。もちろん洗足のせいではないし、そんなことは本人だってわかっているだろう。だが、頭では理解できても……感情が許さないのだ。

あんな薄情そうな顔をして、洗足は誰よりも情に厚い。青目はそれを知っているからこそ、こんな事件を引き起こす。

「まあ、先生の個人的な事情はいいんだ。俺たちが首を突っ込むところじゃない。それより脇坂、続きを話せ。妖人属性が青目から先生へのメッセージだったってとこは、俺も同意見だよ。まあ、先生はとっくにわかっていたようだがな」

「先生にはいつだって敵《かな》いませんよ。じゃあ、続きを話しますね。カオリさんと優紀さんですが……」


もしもし？

あたしです。いまあの人に電話しました。はい、来るって言ってました。たぶん、五分もあれば……。先生、あたし大丈夫でしょうか。ちゃんとできるかな、あたしに……。

あの時は、自分はなにもしなくてよかったから……自分で動く必要はなくて、ただ、言えばよかっただけだから……。……はい……はい……そう、そうですよね。あたしのこと、そう言ってくれるの先生だけです。嬉《うれ》しい。ちゃんとやれたら、一緒に逃げてくれるんですよね？　……はい、信じてます。先生の言うとおりにします。あたしが本当に信じるのは先生だけです。だって、カオリさんは結局、裏切った。自首しようなんて言い出して……冗談じゃないです。私は後悔なんかしてないのに。母がいなくなって清々しているのに。あの人、今更いい子ぶって。そういうところ、あんまり好きじゃなかったんです。あたしは、先生だけいればいいんです。それだけで幸せ……こんな気持ち、生まれて初めてです。だって、みんなあたしを裏切るんです。カオリさんもそうだし、前につきあってた人だって、母からちょっと呼び出されただけで、すぐに連絡つかなくなって……でもいいんです、あんなのたいした男じゃなかった。先生に比べたら、どんな男だって霞《かす》んじゃいます。あたし、後悔してません。これでやっと自由になれる。幸せになれる……先生と一緒なら、世界の果てまで逃げたって構わないんです。

「母娘《おやこ》の関係って、本当に難しいんですね」

脇坂は座る位置をもぞもぞと直しながら言った。車の中の張り込みは、長時間になると腰にかなりくる。

「僕、ちょっと本を読んでみたんです。何冊か出てましたよ。精神科医の人が書いてたり、カウンセラーの人や、当事者たちのも。正直、僕は男なので感覚的にはピンとこないんですが……母と娘っていうのは、母と息子より複雑で、関係がうまくいかなかった時の対処が難しいみたいです。もちろんケースバイケースでしょうけど」

「俺なんか、親とうまくいかなかったら家を出て行けばいいと思っちまうがな」

「娘の場合、家を出たり、結婚して自分の世帯を持ったりしても、まだ母親の支配を感じることがあるらしいですよ」

「支配？」

「そんなふうに書いてありました。母親は娘を支配しようとする……。うーん、息子って、父を超えようとするじゃないですか。僕はそう思ったことないんだけど、一般的にそんなふうに言われるじゃないですか」

「まあな」

「で、仕事とか頑張るわけです。親父も息子をいつか認める日が来たり、来なかったり。母親と娘もそんな感じなのかなって想像したんですけど、それだとなんかしっくりこないんですよね」

「娘は母親を超えられないってことか？」

「超える超えない以前に……ほら、母親ってものすごく子供に献身的に尽くすでしょう。最近は育メンもいますけど、それはまだ一部の話で、少ないから話題になってるわけで。ほとんどの場合、やっぱり子供の面倒は母親が見るわけですよ。子供が小さいうちは、多くのことを犠牲にするんでしょうし、そういう献身って、つまり愛情ですよね。超える超えないとかじゃないですよね。息子が父親より優れた男になってやろうというのとは、ずいぶん違う」

「……違うか？　うん……まあ、違うか……」

「母親のそういう愛情を、成長した息子はわりと無視できるんです。無視っていうと言い方悪いけど、いい意味で忘れられる。逆に言うと、それを忘れて新しい女性……つまり自分の妻ですよね、そっちに愛情を注がなきゃいけないし」

「そうしないと、自分の家庭を持てないからなあ」

「はい。でも、娘って母親をあっさり忘れたりはできないみたいで」

「なんで」

「たぶん、自分もまた母親になるからじゃないでしょうか。あるいはなる可能性があるか。ならなかった場合はならなかったで、私はお母さんのようになれなかったと思うから、やっぱり母の存在を忘れられない……。同性であるがゆえの、独特な繋がり方をしているみたいなんですよ」

鱗田は拳《こぶし》で両方のこめかみをグリグリ揉《も》みながら「そういう難しい話は、よくわからん……」とくぐもった声を出す。

「母親から見ても、娘は可愛い子供であると同時に、成長してくると身近なライバルにもなるんですよね。自分が失いつつある、女性特有の美しさを間近で毎日見なくちゃいけない。……これ、どうなんだろう。嫉妬《しっと》まで行かなくても、なんかもやっとしないのかなぁ……」

「いや、だって親子だぞ？　自分が産んだ娘に嫉妬してもしょうがないだろ」

「自分が産んだ娘だから嫉妬するんじゃないでしょうか。自分が産んだのに、自分から出てきたのに、自分じゃないんですよ？」

「おまえ大丈夫か。そんなこと当たり前だろ」

「当たり前って言いますけど、僕たちにはきっと永遠にわからない感覚だと思いますよ。僕たちから出てくる子供いないんだから」

脇坂の言葉に鱗田が顔を歪《ゆが》めて「気味が悪いこと言うなって」と返す。

そうなのだ。男は自分が子供を産むことを想像すると、なんとなく気味が悪いと思ってしまう。

もっと言えば恐怖心に近い。それは、自分が女の役割をするという点で怖いのか。あるいは、自分から他の生き物が出てくるということ自体が、恐ろしいのか……自分も男である脇坂はさんざん考えたのだが、結論は出なかった。

「とにかく……カオリさんと優紀さん、ふたりには自分の母親に対してなんらかの負の感情があった。それは確かだと思うんです」

「ああ。そこはわかる」

「だからといって、そうそう殺人事件は起きない。問題のある家庭なんていくらでもあるけれど、いちいち家族は殺さない。でも……青目が関われば話は別です。あいつはいつものように、カオリさんと優紀さんに接触し、彼女たちの負の感情を大きく育て……かつ、方法を与えた」

脇坂は鱗田を見て「自殺に見せかけた、殺人の方法を」と添えた。鱗田はエントランスから視線を外さないまま、大きく頷《うなず》く。

「どんな方法だ？」

「まず、カオリさんは屋上に母親を呼び出した。自分の娘に呼び出されたんですから、母親はとくに怪しむこともないでしょう。屋上の鍵《かぎ》に関しては、青目の手配だと思います。あいつなら暴力団関係者と繋《つな》がりがあってもおかしくない。そしてカオリさんは母親になにか言ったはずです。誉田さんは『脅された』って言ってましたよね。きっと母親の弱みを握っていたんです。ただそれが何なのかはわからなくて……」

「おい、アリバイはどうすんだ。カオリさんはサービス棟のエントランスの防犯カメラに映ってたんだぞ。入るところも出るところもだ。誉田さんが落ちた時間、カオリさんはもうサービス棟にいない」

鱗田のもっともな指摘に「そこですよ」と脇坂は頷く。

「その映像って、細工されてるんじゃないですかね。だって屋上に繋がる通路のカメラは細工されてたわけだし。エントランスのほうだけできないってことはないでしょう？　例えば、別の時間帯の映像をそこに流しているとか」

「……なるほどな」

鱗田が顎《あご》を撫《な》でて頷く。どうやらいい線いっているようだ。脇坂は自信を持ち「カオリさんは、偽の映像でわざと姿を見せたんですよ」と続けた。

「あの映像で、カオリさんは自分のアリバイを証明できますからね」

「なかなか手が込んでるな」

「青目の脚本ですからそれくらいあると思います」

「小田垣優紀さんのほうは？　彼女も母親の死亡時刻、自宅にいなかったぞ。ネットカフェの店員が証明している」

「僕はその店員が怪しいと思ってるんです。アリバイのねつ造に手を貸したんじゃないでしょうか。金を渡されてるとか」

「ネットカフェにも防犯カメラがあって、ちゃんと小田垣さん映ってるぞ」

「……そのカメラも細工を……うーん、不可能じゃないけど、なんだか細工だらけになりますね……」

「だな」

「……もしかして、僕の推理違ってます？」

脇坂の質問に、鱗田はポッキーの箱を開けながら「ウン」とあっさり頷いた。


「ありがとう……来てくれて。どうぞ入って」

「お邪魔します」

リビングに通されたが、部屋は古い形のスタンドが点《とも》っているだけで薄暗かった。煌々《こうこう》と灯《あか》りをつけている気にはなれないのだろう。ユキさんのところの間取りは、確か2LDK。このマンションの中ではこぢんまりしたほうだが、ふたり暮らしならちょうどいいサイズだと思う。

けれど……もう一緒に暮らしていたお母さんはいない。

キッチンの灯りがつき、ユキさんが電気ケトルのスイッチを入れたのがわかる。灯りはリビングにも流れて、かなり散らかった様子が見て取れた。コンビニ袋、雑誌、食べ終わったレトルトの器……お母さんがいなくなってから、すべてのやる気をなくしてしまったのかもしれない。

その気持ちはとてもよくわかる。私も美湖がいなかったら同じだったろう。

ソファの隅に、ボストンバッグがひとつ置いてあった。それを見つけた瞬間、いやな予感がして、思わずユキさんに聞いてしまう。

「ユキさん、あの荷物……」

「え、なあに？」

「あの大きなバッグ……まさか、逃げたりしないわよね……？」

くすっ、とユキさんが笑う。

「やだ、逃げる場所なんかないじゃない」

その答えに安堵《あんど》して「そうよね」と返す。

「仮にあたしが逃げても、カオリさんは自首するんでしょ？」

「……ええ。私はもう……決めたから」

「カオリさんが自首してあたしたちのこと全部喋《しゃべ》っちゃったら、どっちにしろあたしももう終わりだし」

「私が喋らなくても、警察はほとんどわかってるんじゃないかしら……」

「そんなことないと思うわ。警察が握ってるのは状況証拠ばかりだもん。裁判で大切なのは、私たちの自白が取れるかどうかよ。先生がそう言ってたもの」

「……え。まだ青江さんと連絡を取ってるの？」

ひらり、とユキさんがスカートを揺らしてキッチンから出てきた。

こんな時間なのに、部屋着ではない。すぐでかけられるような……それも、デートにでも行くような服装だ。ユキさんは短期間で、急激に服の趣味が変わった。あまり身なりに感心がなかったようなのに、今ではフェミニンでやや派手な服装をしている。それが誰の影響なのか……私はいまさらそれに気づき、愕然《がくぜん》とする。

ユキさんはお湯の沸いたケトルを持ったまま「もちろん、まめに連絡は取ってるわ」と笑う。

だが、私は笑い返すことができなかった。

青江。

……下の名前は……なんだったか。

その男は、私とユキさんを引き合わせた人だ。さらに、今回の恐ろしい計画の筋書きを立てた人物でもある。非常に見目のよい男性で、しかも頭がよく、とても紳士的で優しい。多くの女性の理想を絵に描いたような希有《けう》な男性だった。

彼は私たちにいろいろなことを語った。

精神科医として、家族関係をテーマに研究を続けていると言い、私たちの悩みを……母とのことを熱心に聞いてくれた。決して反論せず、話を遮らず、すべて肯定し、同情し、苦しみを理解してくれた——かのように、思えた。

あの日までは……母が屋上から落下した日までは、私も青江という人を信じていた。いや、そんなレベルではない。今でははっきりとわかる。

「ユキさん……私たち、洗脳されていたのよ？」

ポットをテーブルに置き、キャラクターの書かれたマグカップにお湯を注いでユキさんはまた笑う。

「やだ、なに言ってるの？」

そしてティーバッグをポチャンと落とした。やや粗雑な動作だったので、周囲にお湯が跳ねる。

「青江先生は立派な人よ。あたしたちの話をあんなに真剣に聞いてくれたじゃない。そんな失礼なこと言うなんてカオリさんらしくない」

「……ユキさん、よく聞いて。あの人はやっぱり変だわ。あの人は私たちに殺人をさせたかったのよ。どうしてなのかはわからないけど、そうなるように仕組んだのはあの人で……」

「……あたしは殺してない！」

怒鳴られて私はビクリと身を竦《すく》めた。

「そ……そうよね……ユキさんは殺してない……」

「そうよ、殺してないわ。少なくともまだ死んでないじゃない！」

「わかってる……それは、わかってるわ。でもユキさん、あの人は本当に危ない」

「危なくないわ。ちゃんとした人よ。カオリさんが確認してくれたんじゃない。青江さんの名刺正しかったって、あの大学にそういう名前の先生、本当にいるって」

いた。確かにいた。

大学の事務局に電話して確認したのだ。けれど顔まで確認したわけではない。

「だけど、まったく別人の名前と身分を騙《かた》っていた可能性もあるのよ。あの頃は私もそこまで調べようと思わなかったけど……」

「カオリさん、いい加減にして。わかってるのよ。あなた焼いてるんでしょう。嫉妬《しっと》してるのよね？　先生が私を選んだから気にくわないんでしょ。でもそれって図々《ずうずう》しくない？　既婚者で子供までいるくせに」

「……ユキさん？」

私を睨《にら》みつけるユキさんの目がおかしい。すっかり興奮し、瞳孔《どうこう》が開いている。……まるで、薬物を摂取した時のように。

「カオリさんはさ、常にあたしより上にいたかったのよね。あたしより美人で、あたしよりお金があって、結婚してて、医者の夫がいて、それに31階に住んでるもんね。あたしはずっとずっとずっと下の2階だもの。差し引き29階ぶん、あんたはあたしを踏みつけて生活してるのよ」

「ユキさん、どうしたの、落ち着いて」

「29階ぶん下のはずのあたしが、青江先生に選ばれたから腹を立ててるんでしょ？　でもしょうがないじゃない。そういうことだってあるわ。青江先生ね、最初からあたしのことが気になってたんですって。今回の計画だって、あたしのために立ててくれたのよ。

あたしが自由になってあの人と一緒になるためには……どうしてもママは邪魔だったから。だけどあたしひとりじゃ大変だろうからって、あなたも巻き込んだの。悪いけどそういうことなの」

「ユキさ……」

「あたしと先生が逃げる用意はちゃんとできてるの。あなたが自首するなんて言わなければ、先生もそれなりのことをしてくれたと思うけど……もうだめよ。だってあなた裏切るっていうんだもの」

　ちゃぷ、ちゃぷ、ちゃぷ、ちゃぷ。

「自首されると、困るのよね」

　マグカップの中でティーバッグをしつこく揺らしながらユキさんは捲《まく》し立てる。茶色い水滴が跳ね続け、テーブルを水玉に汚していく。

「あたしはいやよ。刑務所の中でずっと過ごすなんて」

「私だってそうだけど……罪は償わないと……。それにユキさんは殺人罪にはならないだろうし……」

「でも殺人未遂よ。重い刑になる。母のメモ書きを取っておいて、遺書に見せかけたのもあたしだし、そういうの裁判で心証がよくないって先生言ってたわ。……カオリさんはいいわよね。殺してないんだし」

「……え？」

「自分が殺してないから、自首しようっていうんでしょ？　ずるいわよね。自分のことしか考えてない」

「なにを言ってるの、ユキさん。結果的に殺してないのはあなたで、私は……この手で人を……」

殺《あや》めたのだ。

朦朧《もうろう》としてはいたが、覚えている。血で真っ赤に染まった、バスルーム。

「ふん、自分でやったと思い込んでるのね。違うのよ。あなたはできなかった。直前で気持ちが挫《くじ》けたのよ。先生、言ってたわ。あの人はだめかもしれないと思ってたって。あたしのように、きちんと覚悟が決まってなかったって。だから様子を見に行ったら……やっぱりあなたはできてなくて、仕方ないから手伝ったって」

「…………どういう……こと……？」

だからぁ、とユキさんが吐き捨てる。

「あんたはね、殺せなかったの。見かねた先生がやってくれたの。勘違いしないでよ、あんたのためにやったんじゃないんだから。あたしのためよ。あたしのために先生は、あの女を殺してくれた。だって先生は、あたしを愛してくれてるから」

得意気に語る声がなんだか遠い。

どういうことだろう。殺してない？　私は殺していない？　ああ、でも殺そうとしたことは間違いないのだ。殺意はあったのだ。それだけでも充分な罪ではないか。

「あたしは逃げるの、先生と」

　まるで歌うようにユキさんは言う。その場でくるりと一回転し、スカートがふわりと舞った。

「ユキさん……お願い、よく考えて」

「よく考えたわ、先生と一緒に」

　ユキさんが私を見る。

「話しあって、結論が出たの。あたしたちのしたことを警察に喋《しゃべ》ろうとする人がいるなら、なんとかしなきゃいけない。排除しなきゃいけない。そうしないとあたしと先生は幸せになれないから」

「ユキさん、わからないの？　あなたは騙《だま》されてるのよ」

　すごい勢いでなにかが飛んできた。

　背後の壁に衝突し、大きな音を立てる。熱い飛沫《ひまつ》がかかってそれがマグカップだったことを私は知る。それでも私は壁のほうを見なかった。壁よりもっと見ていなければならないものがあったからだ。

　ナイフ。

　まるで包丁のように大きなナイフ。

　登山家が持つような……あるいは、殺人者が持つような。

　それが私に向けられている。明け方の弱い光が射し込んできて、刃が光る。

「あんたを殺して、幸せになるの」

ユキさんは頬を紅潮させて、嗤《わら》った。


「もう降参です。教えてくださいよ、ウロさん。彼女たちのアリバイはどうなってるんですか？」

鱗田の持っているポッキーの箱から、数本失敬して脇坂は聞いた。鱗田が「おい、俺のだぞ」と言うので反射的に「すみません」と謝ったが、よく考えてみたらこれを買ってきたのは脇坂だ。

「サービス棟エントランスの防犯カメラは細工されていなかった。確認済みだ」

「じゃ、カオリさんは本当にアリバイがあるんですね」

「ある。彼女は自分の母親を殺していない」

「優紀さんは？」

「優紀さんもあの時間ネットカフェにいたのは間違いない。初めて行く店だったから、会員手続きのために身分証まで見せてる」

「……ってことは、優紀さんも母親を殺してない？」

「そうだ」

ポリポリポリ。脇坂は一気にポッキーをやけ食いする。要するに、脇坂の推理は見当違いだったわけだ。一人前の刑事への道はまだまだ遠い。

「そもそも、おまえは一番大事な点を見落としてる」

「伸びしろのある相棒に、せめてヒントをください」

「……まあ、伸びしろはかなりあるんだろうな。ほとんど伸びしろとも言える。むしろ伸びしろ以外になにがあるのか聞きたいもんだ」

「ウロさん、ほんと、最近先生に似てきましたよね……」

「あの色男に似てるなら嬉《うれ》しいね。大きなヒントをやるよ。優紀さんのバイト先は知ってるな？」

「はい。サービス棟のコンビニ」

ポッキーの箱に手を伸ばすと、鱗田が退けてしまう。わりとけちな先輩刑事だ。

「誉田さんが屋上から落ちた朝、サービス棟の通用口にある防犯カメラに彼女が映っていた」

「え……優紀さんが？　初耳です」

「俺も今日、妖琦庵に行く直前に気づいたんだよ」

鱗田は携帯電話を取りだした。

「通用口のほうは店舗の責任者たちに映像をチェックしてもらっていて、全員関係者だと証言が取れていたもんだから、自分で確認するのが後回しになっちまって……ほら、これが画像だ」

鱗田の古い携帯電話だと、画像はかなり小さい。それでも、優紀が映っているのは確認できた。通用口からサービス棟に入る姿……。

「この日、優紀さんはバイトだったんですか？」

「シフトに入っていたが、体調が悪いので休みにしてほしいと言いに行ったらしい。ネットカフェから帰って、お母さんの遺体を見つける前ってことですよね」

「つまり、お母さんの遺体を見つける前ってことですよね」

「そうだ。こっちが帰る時の画像」

「……あれ？」

なにか持っている……というか、抱えている。

「これ、段ボールですか？」

「本を整理したいから、廃棄する段ボールをもらえないか……そう言っていたそうだ。コンビニの店長に確認が取れている」

「ああ、そうか。引っ越しの時なんかに、お店で段ボールわけてもらう、みたいな」

「だが、変だろ」

鱗田が段ボールの部分を指さして言う。

「……変ですか？　かなり大きな段ボールではあるけど……。あ、そうか。大きすぎますね。このサイズの段ボールだと、本なんか入れたら持ち上がらないですよ。優紀さん、そこを考えなかったのかなあ」

鱗田があからさまなため息をつき「そうじゃなくて」と言った。また的外れな発言をしてしまったらしい。脇坂はもう一度映像を凝視する。

優紀の後ろ姿。大きな段ボール。少し背中が丸い。しっかりと抱えているからだ。

「…………あれ」

そうだ。

どうして最初にそこを変だと思わなかったのか。

顔を上げて鱗田を見ると、やっと気付いたのか、という表情をされてしまった。

「ウロさん、これ……段ボール、なんで畳んでないんでしょう？　普通、空き段ボールって畳んで運びますよね？　こんなに大きいサイズなら、尚更《なおさら》……」

「そうだ」

鱗田の小さな目が、画像を睨《にら》む。いつもののんびりした雰囲気がかき消え、ヒリッとした空気が鱗田を包んでいた。

「この段ボールで、優紀さんはなにかを運び出したんだよ」

脇坂は息を呑《の》んだ。

この段ボールに入っていたなにか。

優紀がどうしても運び出さなければならなかった、なにか……。

バンバンバン！

唐突に車の窓を叩《たた》かれて、脇坂は心臓が口から出るかというほど驚いた。鱗田もかなりぎょっとしたらしく、自分の携帯電話を取り落としそうになっている。

「うわっ」

「だ、誰っ。あんまりびっくりさせると、公務執行妨害で……ん？」

窓の向こうに見えた小さな顔に、脇坂は慌てて外に出る。

美湖ちゃんだ。今にも泣き出しそうな顔で、必死に脇坂に縋《すが》りついてきた。やや遅れて、マンションの守衛がばたばたと追いついてくる。

「すみません、刑事さん。その子が走り出しちゃって……」

「わきたかさん、ママをたすけて、はやく、はやく……！」

脇坂は美湖ちゃんを抱き上げて「何事ですか」と守衛に聞いた。もう六十を回っているであろう守衛は、息を整えながら説明する。

「その子がロビーに叫びながら走ってきたんですよ。ママが殺される、警察の人をよんでください、って。まさかとは思ったんですが、刑事さんたちがここにいるのを思い出したので、一応連れていこうと……」

「……殺される？」

鱗田も車から降りていた。

眉間《みけん》に皺《しわ》を刻むと、脇坂の抱える美湖ちゃんに「ママはどこにいるんだい」と聞いた。大きな目から、堪《こら》えきれない涙がぼろぼろ溢《あふ》れ、それでも上擦る声で「に、ぜろ、なななのへや」と答えた。

207号室。優紀の部屋だ。鱗田の小さな目が光り、脇坂から美湖ちゃんを奪うように抱き取った。同時に「行け！」と叫ぶ。

「俺はすぐ応援を呼ぶ。急げ、カオリさんが危ない！」

弾《はじ》かれたように、脇坂は走り出した。

走り出してから返事をしてないのを思い出し、正面を向いたまま「はいっ」と叫ぶ。マンションの見取り図は頭の中に入っていた。エントランスを駆け抜け、全速力で207号室へ向かう。共有廊下を走っていると隣の部屋の住人と思《おぼ》しき男性が、パジャマの上にパーカーを羽織って立っていた。

「あー、管理会社の人ですか？」

眠そうな声でそういう。

「早かったですね。お隣が、あまりにもにぎやかすぎて……怒鳴り声とか聞こえるし、ちょっと注意してもらえると……」

「警察です！」

脇坂は叫び、207号室のドアを開けようとした。鍵《かぎ》がかかっている。男性はぽかんとして「警察？」と呟《つぶや》く。

「すみませんが、お宅のベランダ伝いに行かせてください！」

「え、あの、なにかあったんですか？」

「なにかあるかもしれないので行かせてください！」

脇坂が言った直後、女性の声が聞こえた。

悲鳴のような、怒鳴り声のような……どっちにしても尋常ではない声だ。さすがに男性も顔色を変えて、脇坂を部屋へ入れてくれた。土足のままで他人様《ひとさま》の家に上がり、リビングを突っ切ってベランダに出る。仕切り板を夢中で蹴破《けやぶ》って、隣のエリアに入る。

リビングの中が見えた瞬間、脇坂は目を見開いた。

カオリに馬乗りになった優紀が、ナイフを振りかざしている。

かなり刃渡りのあるナイフは、所持しているだけで銃刀法に問われそうなものだった。あれで刺されれば、命に関わる。

「やめろ！」

脇坂は叫ぶ。中に入ろうとしたが、ベランダの窓は施錠されていた。カオリの目が脇坂を見る。必死に救いを求めている目だった。だが優紀はこちらを見ようともしない。正気を失った彼女には、もうなにも聞こえていないのだろうか。

「脇坂！」

隣家のベランダから鱗田が現れた。

脇坂にゴルフクラブを差し出す。それを受け取り、思いきりガラスを叩いた。

激しい衝撃音に、ようやく優紀がこっちを見る。血走った目で脇坂を見据え、顔を歪《ゆが》めてぬっと立ち上がった。正直恐ろしかったが、身体が竦《すく》むことはなかった。恐怖より、カオリを助けなければという気持ちのほうが大きい。そう思えた自分に、少しだけ自信が持てた。

ガラスは割れたが、脇坂が入れるほどのスペースはない。内側に手を入れ、鍵を開けようとすると、髪を振り乱した優紀が、窓に近づいてきた。脇坂の手にナイフを突き立てようとしたが、あと数センチのところでナイフは止まる。カオリが優紀の膝《ひざ》に縋りついて、阻止してくれたのだ。

獣のような叫び声。

理性を失って暴れる優紀は――まるで鬼女のようだ。

鬼女なんてものに脇坂は会ったことはないが、それでもそう思った。人は、こんなふうにもなるのだ。なってしまうものなのだ。

カオリめがけて、ナイフが振り下ろされる。

脇坂が窓を開けて、室内に飛び込む。

暴れる優紀を渾身《こんしん》の力で止める。脇坂自身、無我夢中で周囲の状況が見えない。とにかく優紀を押さえ込まなければならないと、それだけを考えていた。

いつのまにか鱗田も室内にいて、優紀の手からナイフをもぎ取る。ふたりがかりで優紀を封じ込め、床に押しつけて、後ろ手に手錠をかけた。現行犯逮捕だ。

優紀を押さえつけている自分の手に、パタパタと赤いものが落ちた。なんだろうと思ったら、自分の血だ。優紀が暴れていた時ナイフが頬を掠《かす》めたらしい。さして深くはなさそうだし、アドレナリンのせいか、痛みは感じない。

「……脇坂、おまえ」

鱗田が脇坂を見て、険しい顔をした。

脇坂は笑って「かすり傷です」と答え、手の甲で頬の血を拭《ぬぐ》う。優紀は手錠をかけられたと知ると、ぐったりとほとんど動かなくなっていた。

「待ってろ。すぐ救急を呼ぶ」

「やだなウロさん、かすり傷ですってば」

鱗田が立ち上がり、自分のハンカチを取り出す。嬉《うれ》しいけど、それきれいなのかなあ、などと思っていた脇坂の傍らに膝をついて、なぜか脇腹にハンカチを当てた。

「……え？」

「止血する。大丈夫だ」

「…………？」

脇坂は顎《あご》を引き、鱗田の押さえている箇所を見た。

自分の左脇腹のハンカチ。きれいかどうか、わからない白いハンカチ。

それが赤く染まっていくのを見て、なにを言えばいいのかわからなくなった。

※

ほら、おいで。おいでよ。

ここに座ろう。縁側、気持ちいいよ。風がちょっとあるね。でもぬるい風だね。春だから。僕の左側に来るといいよ。そしたらあんまり風が当たらないよ。

どうしたの？

あれは桜じゃないんだ。海棠《かいどう》だよ。おっかさんの好きな花なんだ。きれいだよね？

うん、桜じゃない。どうして？　桜は嫌いなの？　怖いの？　山で、たくさん咲いていたから？

泣かないで。もっとこっちにおいで。大丈夫、あれは桜じゃなくて海棠なんだから。来ないよ。きみの母さんは来ない。ここを知らないもの。手が冷たいね。僕の首に触っていいよ。とってもあったかいだろ？　ドクドクしてるのは、そこにたくさん血が流れてるからだよ。生きてる証拠だって、おっかさん言ってた。

泣かないで。僕がきみを守ってあげるから。

あれは海棠だよ。

それで、僕はきみのお兄ちゃんだ。

九

「なんだ。生きてるじゃないですか」

　ベッドで上半身を起こし、額と頬に絆創膏《ばんそうこう》を貼った脇坂を見て、洗足は忌々しげに言った。もちろんその言葉と表情は一種の照れ隠しのようなもので、内心ではこの若い刑事が無事だったことに安堵《あんど》しているのだ。鱗田にはすぐそうわかったし、洗足と一緒に病院に来てくれた夷にもわかっているのだろう。主《あるじ》の横で、小さく笑っていた。

「生きてます。元気です。かすり傷ばかりですけど、ちょっと数が多くて」

　当の本人は、洗足の言葉に傷ついた様子もなく、かといって照れ隠しに気づいている風でもなく、ただいつもの天然ぶりを発揮している。

　タワーマンション近隣の病院である。

　脇坂は何ヵ所も負傷していた。もっとも、傷はどれも浅かった。鱗田が指摘した脇腹にしても皮膚を切り裂いただけで、多少縫うに留《とど》まった。それでも、やはり脇坂のシャツに滲《にじ》んだ血を見た時は肝を冷やした。ああいった場面では、深く刺されても自覚がないケースがしばしばあるのだ。

「でもこれ、名誉のかすり傷だと思うんです。カオリさんは無事だったし」

相変わらずのんきな口調だが、さすがに顔色はよくない。

「戯《たわ》けたことを。刑事として当然の職務を果たしただけでしょうが」

こちらは相変わらずの毒舌で、やはり顔色はよくない。眉間《みけん》に皺《しわ》を刻んだ洗足は、深緑色の着物の上から、芥子色《からしいろ》のストールのようなものを巻きつけていた。風邪はもういいのだろうか、と思った矢先に咳込んで、顎まで下ろしていたマスクを再び上げる。

「まったく……こんな時間にわざわざ来たんだから、もう少しぐったりした様子を見せてほしいもんだ」

「すみません、先生。そちらにまで連絡が行くとは……」

頭を下げた鱗田に、洗足は「病院にきたのは、ついでです」と素っ気なく言う。

「あたしが確かめたかったのは、カオリさんの無事ですよ。マンションに着いた時には、事件は収拾されてましたけどね。……彼女もこの病院に？」

はい、と鱗田は答える。浅野カオリも軽い負傷を負ったので、念のため検査をしてもらっている。娘の美湖も一緒に来ているはずだ。

「で、かすり傷のくせに、なんでベッドになんかいるんですか、きみは」

怪我人を見下ろし、洗足は小言めく。

「一応入院扱いなんですよ、僕。レントゲンも撮らないと」

「レントゲンで脳味噌《のうみそ》の具合はわかりませんよ」

「いえ、脚を見てもらうんです。仕切り板……マンションのベランダにあるやつ、あれを蹴《け》りまくった時、なんか痛めちゃって。骨はなんともないと思うんですけど、かなり腫《は》れてしまってるので、念のため……」

バサリ、と洗足が予告もなしに脇坂の布団を捲《めく》り上げた。裸足《はだし》の足を見て、おもむろにグイと掴《つか》む。

「いっ……痛いっ、先生っ、痛いですっ」

さすがに脇坂が叫んだ。

「ああ。折れてない折れてない」

「お、折れてなくても、痛いのは痛くて……ッ、ううう……」

痛そうだなあ、と鱗田も内心で思う。ただの捻挫《ねんざ》だとは思うが、ややこしい捻《ひね》りかたをしてしまったらしく、可哀想なほどに腫れているのだ。夷が鱗田に「すみません」と静かに謝る。

「あれでも、心配してるんですよ」

「そうでしょうなあ」

鱗田は頷《うなず》いたが、洗足は「べつに心配なんかしてません」と苦虫を嚙《か》みつぶしたような顔をする。

「なんであたしが、こんなボンクラ刑事を心配するんですか。だいたい大袈裟《おおげさ》なんですよ。その足で被疑者を取り押さえたんでしょう？　ならたいしたことないはずです」

「あの時は無我夢中で……。僕、脇腹刺されたことすら、わからなかったんですよ？」

「脇腹？」

洗足の右手が再びぬっと伸びる。脇坂は慌てて布団で我が身を守り、

「確認しなくても大丈夫ですっ、ちょっと縫っただけですからっ」

と主張した。洗足は「フン」とつまらなそうな顔をして手を引っ込め、

「……まあ、養生しなさい」

と素っ気なく言った。夷が小声で鱗田に「心配してるんです」とさっきと同じことを言う。鱗田は少し笑って「ですな」と答えた。

「まあ、レントゲンで問題なかったらそのまま帰れるはずです。先生のおかげでカオリさんは自首する決心がついたんですが……優紀さんはだめでした。青目の暗示がかなり強くかかっていたらしく、残念です」

鱗田の言葉に、洗足が「薬物を使用されていた形跡は？」と尋ねる。

「ありますね。あの興奮状態は薬物使用の影響も大きいでしょう。収容されたので、検査が行われているはずです」

「現場に青目の姿はありませんでしたか。奴は自分の仕掛けがどうなったか……見学に来ていたかもしれない」

「捜査員を何人かマンション周りに配置していたのですが、それらしい不審者は見あたらなかったようです」

洗足が僅《わず》かに視線を動かして、なにか考えるような顔をした。続けて「カオリさんの処遇は？」と聞く。

「回復したら、重要参考人として出頭してもらいます。……計画に関わったことは事実ですし、彼女が殺していないという点も立証されたわけではありませんから。風呂場《ふろば》になにがしかの痕跡《こんせき》でも残っていればいいんですが……まあ、青目がそんなヘマをするとは思えませんな」

「そうでしょうね」

呟《つぶや》く洗足の袂《たもと》からのぞく左手には包帯が巻かれていた。手のひらに火傷をしたそうだが、その原因については聞いていない。

「……ん？　やだなあ、ウロさんも先生も混乱しちゃってますよ？　風呂場で亡くなったのは優紀さんのお母さんです」

あっけらかんと言い放った脇坂を、洗足がゲジゲジでも見つけたかのような目で見下ろす。本当に、こういう目つきをさせたら天下一品だなあと鱗田は内心で感心した。

「……きみ、なに言ってるんです？」

「あはは、いいんです。先生だって、たまには間違えますよね」

「……間違っているのは、この世の中だと思うね。きみのような人間がなぜ刑事なんかしているんだろう。きみが刑事をしてるなら、一丁目の団子屋さんの看板犬ヨモギちゃんがワンコ刑事として働いたほうが、ずっとましな気がします」

「ヨモギちゃん。可愛い名前ですね」

「可愛いし、きみよりだいぶ利口だ」

「あれ。もしかして僕、ディスられてます？」

脇坂が鱗田を見て聞く。鱗田はコクコクと頷きながら、こいつの打たれ強さもまた天下一品だと思う。

「ってことは、なにか失言したんですね。なんだろう……」

「失言以前の問題です。ウロさんからなにも聞いてないんですか」

こちらに矛先が向いてしまったので鱗田は「あー……」と頭を掻《か》きながら「自分で気がつくかと思ったんですが、そうはならなかったようで」と正直に言った。もちろんそのあと説明しようとしたわけだが、そのタイミングで美湖が車の窓を叩《たた》いたのだ。

洗足が俯《うつむ》き、両手で自分の顔を覆った。

非常に漫画的な絶望のポーズのまま五秒ほど停止し、そのあと両手を頭に移動させて髪をワシワシと掻く。そして顔を上げて「なるほど」と諦観《ていかん》したような、あるいは疲労困憊《こんぱい》したような声を出す。

「言いたいことは色々ありますが、あたしも風邪が治ってなくてね。正直、きみに捧《ささ》げる罵倒《ばとう》を考えるのもしんどいんですよ。もう面倒なので、説明します。シンプルに教えます。二度は言わないから、よく聞きなさい」

「はいっ」

担任の先生のお話を聞く小学一年生なみの素直さで、脇坂が頷く。夷はぐしゃぐしゃになってしまった洗足の髪を横から手櫛《てぐし》で直した。甲斐甲斐《かいがい》しい家令である。

「カオリさんは、カオリさんの母親を殺していません」

「あ、はい。重篤ですが、まだ亡くなっていませ……」

「そうじゃない」

洗足が脇坂の言葉に被《かぶ》せ、きっぱり否定する。

「交換殺人です」

「…………はい？」

脇坂が女の子のように小首を傾げる。いい歳をした男なのに、そういう仕草に違和感がないのが、鱗田としては不可思議なところだ。

「カオリさんが殺そうとしたのは、優紀さんの母親。そして優紀さんは、カオリさんの母親を殺害しようとした。今回の事件は、自殺に見せかけたふたつの殺人計画であり……かつ交換殺人計画だったんですよ」

「交換……殺人？」

ぼんやりしたままそう呟き、脇坂は鱗田のほうを見た。

鱗田は無言で頷く。すると脇坂は右手と左手の人差し指をぴょこりと立て、それを交差させてもう一度「交換殺人」と呟き、約五秒後にアッ！　と叫ぶ。洗足が「うるさい」と顔をしかめた。

「つ、つまり、カオリさんのお母さんと一緒に屋上にいたのは優紀さんで、優紀さんのお母さんと風呂場にいたのはカオリさんということですか⁉」

「そう」

「あ、アリバイ……ふたりの、アリバイが……こ、交換だったら、ええと……」

「脇坂」

狼狽《ろうばい》する後輩刑事のために、鱗田は助け船を出してやる。

「事件当日の時間軸を整理してみろ」

脇坂は頷き、ベッドサイドから小型タブレットを取り出し、記録を呼び出す。鱗田も自分の手帳を出した。

「ええと……小田垣貴子さんが自宅浴室で死亡したのは、深夜の二時から三時頃と推定されてます。誉田敏美さんが屋上から落下したのは午前七時五十分前後。サービス棟のエントランスの防犯カメラには、七時二十二分に美湖ちゃんを抱いたカオリさんが映っていました。カオリさんは託児サービスに行ったけれど、美湖ちゃんを預かってもらうことはできず、三十八分に再びエントランスからサービス棟を後にしています」

「優紀さんの動きはどうだ」

「夜はネットカフェで過ごし、朝になってからマンションに戻りました。自宅より先にサービス棟のバイト先に顔を出しています。通用口防犯カメラは……七時二十七分に入る優紀さんを映し、出て行ったのは八時四分……三十分以上いたわけで……あ……」

脇坂はやっと気がついたようだ。

カオリの母親が落下した七時五十分前後。この時間帯に、カオリはサービス棟にいなかったが、優紀はいたのである。逆に、優紀の母親が浴室で死んだ時間帯、優紀はマンションにいなかったが、カオリのアリバイはない。

「……そうか……」

タブレットを布団の上にぽとりと置いて、脇坂は言う。

「交換殺人なら……ふたりともアリバイはないんだ」

そして、自分の母親が死んだ、あるいは死にかけた時刻には、それぞれアリバイがしっかりある。殺人事件が起きた時、身内にも嫌疑がかかることを知っていて、あらかじめアリバイを作っていたのである。

「カオリさんと優紀さんは……最初から知り合いだったんですね……」

「青目が引き合わせたんでしょう」

折りたたみ椅子を広げて座り、洗足が言った。

「アリバイ工作、自殺に見せかける方法、すべての計画は青目が作ったと考えられます。奴が今回主役に選んだのは、母親との関係に悩んでいる女性ふたりでした。ひとりは……優紀さんは青目の罠《わな》にずっぽりと嵌《はま》った。カオリさんのほうはそこまでうまくいかなかったようです。青目は強い暗示をかけたでしょうし、薬物も使ったと思われます。それでもカオリさんの理性なり正義感なりが強く抗《あらが》った」

「……カオリさんは殺人を実行していないんですか？」

「優紀さんの母親の手首を切ったのは、青目だと思います。ウロさんに写真を見せてもらいましたが、暗示にかけられて朦朧《もうろう》とした女性の腕力で、あの切り方は不自然だ」

「興奮した優紀さんも口走っていたようです。『あんたはね、殺せなかったの。見かねた先生がやってくれたの』と。ついさっき、カオリさんから聞きました。本人は自分がやったと思い込んでいたようですが」

鱗田が補足すると、洗足は「青目は予測していたのかもしれません」と言う。

「カオリさんはできないかもしれないと。だから、見張っていたのでしょう」

「せ、先生、でも……痛……っ」

脇坂が身を乗り出し、脇腹を押さえて顔を歪《ゆが》めた。傷が痛んだのだろう。

「でも、青目にしては詰めが甘いです。カオリさんがやったことにしなければならないのに、自分が力任せに切るなんて……。事実、ウロさんはかなり最初のうちから手首の切り方に疑問を持っていましたし」

「疑問を持たせたかったんですよ」

マスクの下から、洗足は答える。

「むしろ疑問を持ってくれないと困るんです。青目はべつに今回の交換殺人を成功させたかったわけじゃない。自殺と見せかけた殺人計画が完璧《かんぺき》で、警察が疑問を持たなかったら、あいつがわざわざ脚本を書いた意味がない。自殺にしては不自然な点が多すぎる。

しかも自殺したふたりは不可思議な妖人《ようじん》属性を登録している。……そうしたらY対が動くでしょう。きみたちが。……そしてあたしが」

洗足は淡々と語ったが、隣に立つ夷は頬を歪めて顔を背けた。この家令にとって、主《あるじ》につきまとう青目という男は悪夢のような存在なのだろう。

「……そのために……こんな計画を？」

「そうです。ウロさんやあたしが、自殺ではなく殺人だということを見破り、カオリさんと優紀さんに自首を勧めることも、奴の脚本のうちだった。あたしもそこまでは読めてました。ただ……優紀さんがカオリさんを殺そうとしたのは、正直想定外だった」

巻きつけたストールの崩れを直し、洗足は言う。

「ふたりは同じ悩みを抱える者同士でした。自分を支配しようとする母。自分に依存しようとする母。まるで鳥籠《とりかご》に捕らわれた小鳥のように、母親の呪縛《じゅばく》から逃げられない。たしかに愛されているけれど、自由に羽ばたくことができない。実の母だから、実の娘だから、愛着があるから……時に関係はこじれます」

その言葉に、鱗田は川崎市の誘拐事件を思い出す。

あれも結局、生みの母と育ての母が娘を取り合ったという顚末《てんまつ》だった。もちろんふたりとも娘を愛するがゆえの行動だろう。それでも、誘拐同然に娘を連れ去った生みの母親も常軌を逸しているし、毟《むし》り取るように連れ帰ろうとした育ての母親の顔にも、鬼気迫るものがあった。

どこまでが愛情で、どこからが執着なのか――それを判断するのは難しい。

「カオリさんと優紀さんは、ある意味同志だったはずです。互いに理解しあい、協力しあい、おそらくは励まし合い……殺人などという暴挙に踏み切った。あたしは、このふたりにそれなりの信頼関係があると思っていたんです。青目はその信頼関係を利用することで、今回の計画を実行できたのだろうと。けれど実際は……同じ悩みを抱える者同士であっても、信頼しあえていたわけではなかった。彼女たちは、互いを利用しあったにすぎない」

瞬《まばた》きをひとつしたあと「あたしが甘かったということです」と洗足は冷静な自己批判をした。脇坂のほうがむきになって「そんなことないです」と強く言う。

「あいつが……青目が異常なだけです。残酷で、狡猾《こうかつ》で……あいつと同レベルになれる人間なんてそうそういません」

「それでも青目を理解しなければ、奴の仕掛ける罠は見破れない」

「あんな犯罪者を理解……？」

「許すという意味ではない。敵を知らなければ戦いようがないということですよ。今回は、あの子のおかげでカオリさんの命は助かったものの……」

「あの子？」

「青目としては計算外だったはずだ。奴は卑怯《ひきょう》にもあの子を利用しましたが、逆にあの子がいたおかげで、ひとり殺し損ねたわけです」

「あの、誰のことですか」

わかっていない脇坂を見て、洗足がハァとため息をついた。

「ウロさん、この人わかってないんですか」

「はあ、すみません」

脇坂が洗足と鱗田を交互に見る。おいてけぼりにされそうな犬みたいな顔をして「教えてくださいよう、なんの話ですか」と聞く。洗足は右手を顔の前でゆらゆらさせて
「あたしはもういやですよ」と投げ遣《や》りに言った。

「なんで民間人のあたしが、刑事に事件の説明をしなきゃなんないんですか。警視庁から給料なんかもらってないのに」

「ごもっともです。あのな脇坂、段ボールだよ」

ここは鱗田が説明しなければなるまい。まずは、利用された、という点についてだ。優紀がバイト先のコンビニからもらってきた段ボールについてである。

「ああ……張り込み中に話していたアレですね。なんで優紀さんはあんなに大きな段ボールを畳んで持ち帰らなかったか……」

「畳んでちゃ意味がなかった。つまり、中に何か入っていたんだ」

「中に……なにか……？」

脇坂は「うーん」と軽く唸《うな》り、両腕を動かし出した。じわじわと広げているのは、段ボールの大きさを思い出しているらしい。

「かなり大きかったんですよね。あんな大きさで本を詰めたら持ち上がらないだろうっていうくらい……まるで子供ひとりくらいなら入りそうな……」

「それだよ」

鱗田が言うと、「そう、そこですよね、ポイントは」と真面目に頷《うなず》く。

「段ボールがあの大きさである必要があったという点から鑑《かんが》みて……優紀さんはいったいなにをサービス棟から運び出したのか……」

「いや、おまえもう正解言っただろうが」

「は？」

「子供」

「はい？」

「美湖ちゃんが入ってたんだよ」

「…………」

脇坂は自分の腕で作った架空の段ボールをしばし見つめたあと、「いやいやいや」と笑いながら顔を上げた。

「ウロさん、それはないですよ。美湖ちゃん小柄だから可能ではあるけど、帰りにもカオリさんが抱っこして出て行ったじゃないですか。カメラにちゃんと映ってる」

「映像を確認したが、抱いてる子供に深々とフードを被《かぶ》せていた。顔までは映っていない。あれなら人形かなにかでごまかせる」

「でも、保育所に行って預かってもらえないか聞いてるんですよ。そこで保育士さんが美湖ちゃんの様子見て、無理ですって言ったわけでしょう。人形なわけないですよ」

「その時点では人形じゃないんだ。保育士の話ではかなり深く眠っていて、話しかけたりちょっと触っても反応がなかったそうだ。だから具合が悪いと判断して預かるのを断った。……そもそもそんな状態の美湖ちゃんを預けようとすること自体おかしい。カオリさんは責任感のあるしっかりした母親だ。具合の悪い美湖ちゃんの様子を見抜けないはずがない」

「……それは……そうかも……」

「四歳の子供が反応がないほど昏睡《こんすい》しているんだぞ。その場で救急車呼んだっていいぐらいだろう。実際保育士さんもすぐに病院に行くようにアドバイスしたそうだ」

「でもカオリさん、すぐ病院に行ったんですよね？」

「行ってない」

「え」

「美湖ちゃんは病気だったわけじゃない。ただ眠らされていたんだ。薬でな」

まず間違いなく、その薬も青目が手配したのだろう。眠らせた美湖を抱いてカオリはサービス棟へ向かった。エントランスから入り、カメラに映る。託児所に行き、断られるのを承知で一時保育を頼みたいという。予定通り断られ、またカメラに映って正面エントランスから帰る……。

「だが帰る前、サービス棟の中でカオリさんは優紀さんに会っているんだよ。そして眠っている美湖ちゃんを優紀さんに託した。優紀さんが帰りにあの段ボールが必要だったのは、美湖ちゃんを運び出すためだ」

「優紀さんに……美湖ちゃんを？　でもなんのためにそんな……あ……！」

やっと脇坂も気づいたようだ。

誉田敏美が——カオリの母親が、なぜ呼び出しに応じ、屋上から飛び降りたか。カオリよりさらにしっかりした、いわばきつい性格だった誉田さんである。その彼女が優紀に言われるまま、屋上から身を投げたのは……。

「美湖ちゃんを使って……脅したんですね。おまえが飛ばなければ、孫に危害を加えると……」

「ああ」

誉田さんは美湖を守ったのである。

娘の、娘を。

我が命に代えても、守ろうとした。

「……誉田さんの容態は……」

脇坂の質問に、鱗田は「変わってない」と答えた。一度は意識が戻ったが、再び眠ったままの状態である。カオリは正気を取り戻したあと、意識の戻らない母の横でどれほど悔やみ、自分を責めただろうか。

「ひどい……孫を使うなんて……娘なのに、母親をそこまで憎めるものなのか……」

憤りを感じている脇坂に、洗足が「間違えないように」と釘《くぎ》を刺した。

「カオリさんが計画したわけではありません。青目のしたことです」

「でも、カオリさんや優紀さんが、もともと母親に対する憎しみを持っていなかったらこんなことには……」

「忘れたんですか、脇坂くん。青目は憎しみの芽を育て、大木にし、それをチェーンソーでぶった切るようにして犯罪を仕立て上げる男ですよ。心理操作、薬物、暗示に催眠……青目の手練手管を使われたら、正常な判断力を保つのは困難です」

「でも、実の親子ですよ？　しかも母と娘って、一番理解しあえる存在なんじゃ」

「他人のきみになにがわかるんです」

きつい言葉尻《じり》に、脇坂がぐっと言葉を呑《の》み込む。

「確かに母と娘の関係というのは密接なのでしょう。だが密接だからといって理解しあえるとは限らないし、密接なほど人間関係というのはこじれやすい」

「それは……本にもありましたが……」

「親子であれ恋人であれ友人であれ、全面的にポジティブな感情だけで成り立つ関係はあり得ません。誰にだって憎しみという感情はあるのです。我々はそれをきちんと自覚しなければならない。目をつぶってみないふりをしていると……青目のような犯罪者につけこまれます」

「……先生にもあるわけですか」

脇坂の質問に、鱗田はいささか狼狽《ろうばい》した。真顔の脇坂はふざけているわけではない。むしろ挑むような視線を洗足にぶつけている。

「ありますよ」

ためらうことなく洗足は答えた。

「あるに決まってる。これでも人間ですからね」

「なら先生も、青目に操作されたら誰かを殺すかもしれないんですか」

「おい脇坂、なに言い出すんだ」

「かまいませんよ、ウロさん。簡単な質問だ。そのとおり、あたしだって青目の罠《わな》に嵌《はま》れば誰かを殺すでしょう。きみを殺すかもしれないし、ウロさんを殺すかもしれない。芳彦、おまえかも」

「はい。私も奴に操られれば、先生を手にかけるかもしれませんね」

家令は眉《まゆ》ひとつ動かさず、答える。

「あたしを殺すのはそう難しいことじゃないだろうし」

「私の腕力なら、先生の細い首なんてボキッといきます」

「あたしは腕力はないからねえ。もう少し頭を使った方法でおまえを殺すことにしよう」

「例えばどんな」

「ネタバレはしないよ」

ずっと真面目顔で話していたふたりがここで同時にプッと噴き出す。顔を青くして洗足と夷の会話を聞いていた脇坂が「わ、悪い冗談はやめてください」と眉を寄せた。洗足はまだ笑ったまま「冗談ではないよ」と返す。

「あたしと芳彦はね、常に考えている。シミュレートしている。青目があたしたちにどんな危害を加えるか。あたしたちを操ろうとするなら、どんな手を使うか……自分たちだけは大丈夫なんて思ったことは一度もない。むしろ自分たちが一番危ないと思っているし、それが現実だ。いつだって青目はあたしに向けて事件を起こしている。もしきみたち警察が、これ以上青目に好き勝手させたくないなら、あたしを殺してしまうという手があるよ。もちろん違法なわけだが、警察ならば隠匿もできるだろう」

「やめてください！　僕たちがそんなことするわけないでしょう！」

本気で怒った脇坂に、洗足が「きみがするとは言ってない」と薄ら笑いで返した。からかうような口調ではあったが、脇坂を見た目に僅《わず》かな……ほんの僅かな優しい色味があったように鱗田は感じたものの、本当に僅かだったのではっきりしない。少なくとも、興奮気味の脇坂は気がつかなかっただろう。

「警察という組織ならそれが可能だという話です。……ま、青目が逆ギレしてもっとひどい展開になることも考えられるから、しないでしょうけどね」

「僕たちがさせません、絶対にッ。ウロさん、そうですよね」

「いやあ……俺たちに組織を止める力なんかないだろ」

「えええ、ここでその答えですか……⁉　こんなに先生にお世話になってるのに⁉」

「だからこそ、適当な理想論だけで答えられんよ」

「いや、僕は適当になんか」

「し」

夷が鼻の前で一本指を立てて「あの子が来ます」と言った。

その耳の先がピクピクと動いている。耳の動く人間というのを鱗田は初めて見たのだが、いったいどうやっているのだろうか。

コツコツとドアを叩《たた》く音がする。

鱗田は病室の扉を開けた。一瞬、あれ、誰もいないと思い、すぐに来訪者がとても小さかったことに気がつく。

「美湖ちゃん」

段ボール箱に入っていた女の子である。もちろん、本人は記憶していないだろう。そのほうがいい。鱗田が膝《ひざ》を曲げて「どうしたんだい」と聞くと、

「わきたかさんの、おみまい」

とまだ小さいのにしっかりした口調で言う。もっとも、少し前までは母親のもとで泣きじゃくっていたのだろう、目がまだ赤かった。

「ああ……なるほど、合点がいきました」

洗足が扉まで歩み寄って、美湖を抱え上げた。

美湖は怖がりはしなかったが、驚いたように目を見開き、洗足を凝視している。無理はない。普段の生活ではあまり見かけないタイプだろう。しばらくまじまじと見つめた後、小さな手がマスクを顎《あご》までずらし、次にそっと洗足の前髪をかき分ける。縫い閉じられた左目を見つけ、ビクリと手を引く。

洗足は美湖を抱いたまま、したいようにさせていた。

「おめめ……どうしたの？」

「この目はね、怖いものがたくさん見えてしまう。だから閉じてしまったんですよ」

「いたくない？」

「今は痛くないね。閉じた時も……あたしのおっかさんがしてくれたからね。そんなには痛くなかった」

洗足の答えに、美湖ちゃんは「ママがしてくれたのね」と納得したようだった。

「こわいものがみえるのは、いやだもんね」

「そう。美湖ちゃんも、怖い音や声が聞こえるでしょう？」

コクンと小さな顔が頷《うなず》く。

「とてもこわいの。みこだけきこえるみたいなの。ママはきのせいよって……。でもほんとうにきこえるの」

「そう。美湖ちゃんには聞こえてしまう。……でも、だからママは助かったんですよ。あそこで寝てるぼんくら刑事に知らせてくれたでしょう？」

「ぼんくら？」

「彼の名前ですよ」

脇坂は「えっ、いや、あの」と反論しようとしたが、美湖は「わきたか、ぼんくら」と復唱し、洗足が「そうそう」と笑う。この男がこんな顔で笑うのは珍しいので、脇坂もそっちに目を取られたらしく、反論は成立しなかった。

鱗田は、ずっと気になっていたことをこの小さな女の子に聞いてみる。

「美湖ちゃん、どうしてお母さんが危ないってわかったんだい？　美湖ちゃんはおうちで待っていたんだろう？」

そこが不思議だったのだ。

優紀に呼び出され、カオリはひとりで207号室に行ったはずである。本人からもそう聞いたし、事実、207号室は施錠されていた。

「みこ、ねてたけど、おきたの。こえがきこえたから」

「声？」

「ママがおでんわしてた。ゆきさんていうひとに、おへやにきてっていわれてた」

なるほど、電話している母親の声で目を醒《さ》ましたというわけか。

「ママがいっちゃったあと……さみしくなって、おいかけたの」

「ひとりで207号室に行ったのかい」

「うん。でも、ピンポンのとこ、とどかなくて」

背丈が足らず、インターホンが鳴らせなかったのである。

「そしたらこわいこえ、きこえてきたの。ママのこと、ころすって。だから、しゅえいさんのとこにいったの。しゅえいさんはまもってくれるひとって、ママがいっていたから。しゅえいさん、わきたかさんとおじさんのとこにつれてってくれました」

このおじさんというのは鱗田のことなのだろう。おじいちゃんと言われなくてよかった。それにしても、利発で行動力のある子だ。さらには……。

「美湖ちゃん……すごく耳がいいね。最近のマンションかなり機密性が高いから、室内の話し声が廊下に漏れることはあんまりないのに。隣に住んでる人もうるさいのはわかったけど、話の内容までは聞き取れてなかった」

脇坂がつくづく感心している。

鱗田も同じことを思っていた。美湖の顔を覗《のぞ》き込み「えらかったなあ」と褒めると、ちょっと恥ずかしそうに笑う。

「聴覚に優れ、そこから得た情報の分析力にも優れ、正義感が強い――」

洗足が美湖を抱えたまま、再びパイプ椅子に座った。膝の上の美湖はおとなしい。洗足を気に入ったのかもしれない。幼くとも、女子は美形に弱いのか。

「とてもお利口な《ショウケラ》だ」

ショウ……？

鱗田がそれはなんですかと聞くより早く、「ショウケラ！」と脇坂が叫んだ。

「知ってます、ショウケラ知ってます！　屋根から家の中を覗いてる絵を見たことあります！　ええと、悪いことした人を、閻魔《えんま》大王に報告する妖怪《ようかい》でしたっけ？」

興奮気味に語った脇坂を一瞥《いちべつ》し、洗足は「そんないい加減な知識で、知ってる知ってると大騒ぎしない」とぴしゃりと叱る。

「あれ。違ってました？」

「閻魔大王は関係ありません。まあ、報告するところはあっている。きみが見た絵は鳥《とり》山石燕《やませきえん》の『画図百鬼夜行』で描かれたショウケラでしょう。屋根の明かり取りから、中を覗いている図です。ショウケラは六十日ごとに巡ってくる庚申《こうしん》の夜に、人間の身体から抜け出して天に上り、その人間の罪科を天帝に報告するといわれています。そのため、庚申の夜に人々は集まって語り明かし、眠らないようにした……いわゆる庚申講だね。庚申信仰は、道教の三尸《さんし》説を元に色々な宗教や民間信仰が交じりあってできたもので、江戸時代には盛んでしたが、大正期以降は急激に廃れたようです」

「つまり、ショウケラってのは告げ口をするわけですか？」

鱗田が聞くと「人間側から見るとそういうことになります」と洗足は美湖を膝から下ろした。

「一切悪事を働かない人などいませんので、みな、ショウケラを天帝のところに行かせたくない。……美湖ちゃん、お家《うち》に、おさるさんを描いた絵はありますか？」

向かい合った美湖に聞く。美湖はしばらく考え、

「みこのいえにはないけど、おばあちゃまのとこにはあります」

と答える。

「三匹のおさるさんかな」

「そうです。みざる、きかざる、いわざる」

「素晴らしい。よく覚えているね」

「おばあちゃまがおしえてくれたの。おさるさんがみているから、わるいことはしちゃだめよ。おさるさんがてんていさまにおしらせにいくよって」

洗足は美湖の頭を優しく撫《な》で「猿は庚申信仰の使いです」と説明を補足した。

「ただし妖人《ショウケラ》に告げ口するという属性があるわけではない。先ほども言ったとおり、一番大きな特性は優れた聴覚。とくに、人の声をよく聞き分けるんです。我が家令も耳はいいのですが、人間の声だけで言えば、《ショウケラ》に軍配があがるでしょうね。この子にとって、廊下から部屋の中の話し声を聞くのは難しいことではない。母親が電話をしていた時も、相手の声まで聞こえていたはずです」

「すごい。美湖ちゃん、すごいんだねえ」

脇坂も身を乗り出して、美湖の頭を撫でる。だが美湖は「でも、ママはそんなわけないでしょって……」と、少し悲しそうに目を伏せる。

「カオリさんには《ショウケラ》の特性は出なかったようですね」

洗足はマスクを直して続けた。

「祖母である誉田さんにも出ていない。私が会った時もわからなかった。属性と呼ばれている特殊な能力は、その一族に出たり出なかったりする場合もある。……だが美湖ちゃんは明白だ。会ってみて初めてわかりました。青目ですら、知らなかったはずだ。この小さな《ショウケラ》が、唯一、奴の盲点になっていたんです」

美湖にはさっぱりわからない話である。

きょとんとした顔で大人たちを見上げている。そこへ看護師が顔を覗かせて「ああ、こちらにいましたか」と安堵《あんど》の表情を見せた。

「すみません、ちょっと目を離したすきにいなくなっちゃって……。美湖ちゃん、ママが呼んでるよ」

「はぁい」

美湖はよい返事のあと、皆に向かってぺこりと一礼し、看護師に手を引かれて病室から去っていった。脇坂が「可愛いなあ」とやに下がって言うと、洗足が珍しく「本当に」と同意した。

「昔のマメを思い出しますね……美湖ちゃんと同じくらい可愛かった……いや、マメのほうがやっぱり勝つかな……」

「え、先生はマメくんが四歳の時を知ってるんですか？」

「知りませんよ。知るわけないでしょう。何歳だろうとマメは可愛いんです」

「はあ。それはそうですが」

「八十歳になっても可愛いに違いない」

自信たっぷりに言った洗足に、夷がぼそりと「その頃、私たち死んでませんかね」と言った。洗足は軽く眉《まゆ》を寄せて「草葉の陰から見るんだよ」と言った。鱗田はもう少しで笑い出しそうだったが、かろうじて我慢し、何度か咳払《せきばら》いをした。

「ごほ……とにもかくにも、先生には色々とお世話になり……今日も早朝から申しわけありませんでした」

「まったくですよ。協力要請はできるだけ九時五時のあいだにしてほしいですね」

「ほんとに……誰かが変に気をきかせたんですかなあ……。電話した者を見つけたら、よく言っておきます」

鱗田が詫《わ》びると、なぜか洗足と夷が黙ったまま顔を見合わせる。やがて夷が鱗田に向かって「頼まれたと言ってましたが」と怪訝《けげん》そうな声を出した。

「はい？」

「『鱗田刑事からの要請です、小田垣優紀が浅野カオリを殺害しようとしています。洗足先生に現場に急行していただきたい。危険が伴うと思われますので、夷さんもご同行をお願いします』……。電話口の人は、そう言って……」

ひやり。

襟首から、見えない冷たい手が忍び入る。そんな感覚に鱗田は震えた。それでもなんとか冷静を保って「頼んでいません」と明瞭《めいりょう》に返す。

「誰にも、そんなことは頼んでいない」

「そっ……じゃあ、いったい誰が電話したんです？　妖琦庵に？」

一方で脇坂は、声に思いきり動揺を乗せる。洗足は大股《おおまた》で歩き出しながら「芳彦」と夷を呼んだ。帰るのだ、妖琦庵に。

「先生、私もご一緒します。車を回させましょう」

「頼みます」

振り返りもせずに言い、病室を出る。脇坂が「僕も行きます」ベッドから降り、病院着に裸足《はだし》で革靴という恰好《かっこう》で自分も廊下に出た。

「おい、おまえは検査があるだろ」

「そんなのあとです。早く行きましょう、ウロさん。妖琦庵には今……」

マメくんしかいないんです。

その言葉を脇坂は意識的に飲み込んだようだった。不吉なことは口にしたくないという気持ちが鱗田にも伝わってくる。

「おまえは妖琦庵に一番近い交番に連絡して、警察官を急行させろ。着替えたら俺たちを追ってこい」

早口でそう命じ、待機していた所轄の車で妖琦庵に急行した。車の中で夷が何度も自宅に電話をかけたが、マメは出ない。携帯にかけても同じだ。

「先生」

夷の声は、緊張の色が強い。洗足は返事をしなかった。所轄の刑事が運転をし、鱗田は助手席にいたので、どんな顔をしているかはわからない。実年齢よりずっと幼く見える弟子丸《でしまる》マメは、洗足にとって弟も同然である。基本的に誰に対しても辛辣《しんらつ》な洗足が、唯一手放しで可愛がっている存在だ。

二十分ほどで到着した。

洗足家の前に警ら用自転車がある。交番勤務の警察官がすでに来ているようだ。もし事件が発生していれば応援要請が出ているはずだが、他に人影はない。ということは、とくに問題はなかったのか——そう考えた鱗田だったが、開け放しの引き戸から見えた光景に自分の甘さを嚙《か》みしめた。

「くそっ」

思わず、口をついて出る。

玄関の内側、三和土《たたき》で警察官がひとり倒れていたのだ。

「マメ！」

洗足が大きな声を上げ、草履も脱がずに家の中に入っていった。

「先生、いけません！　危険です！」

そう叫んだが、止まるはずもない。夷もものすごい速さで洗足のあとを追う。所轄の刑事に警察官を任せ、鱗田も中に入った。

ずいぶん長く刑事をやっている。犯罪現場に足を踏み入れたことなど数え切れない。

いつだってそれなりの緊張感はあるが、今鱗田が味わっているのは、もはや恐怖感に近かった。ここだけは守らなければならなかったのに。この妖琦庵は……洗足伊織のテリトリーだけは、何者にも踏み荒らされるべきではないのに。

「マメ！」

洗足の声は茶の間から聞こえた。

そこに足を踏み入れ、鱗田の心臓は一瞬凍りついた。

掃き出し窓のガラスが割れ、座卓がひっくり返っている。獣が暴れたあとのように室内はめちゃくちゃだ。

部屋の中央で洗足が膝をつき、ぐったりしたマメを抱えている。

「マメ」

洗足が呼びかけるとマメは目を開けた。なにか言おうとして、頬が歪《ゆが》み唇が震える。

「マメ、教えなさい。どこが痛い？　大丈夫、すぐに手当してあげます。痛むのはどこだい？」

洗足のこんな声を初めて聞いた。必死に自分を落ち着かせようとしているが、どうしても上擦り、震えてしまう声……。夷もマメの傍らに寄り添い、状態を調べている。腕に触れ、脚に触れ、ひととおり調べて「先生」と洗足を見た。

「外傷はありません。でも血のにおいが……庭から」

その言葉とほぼ同時に、鱗田は中庭に倒れている人物がいることに気がついた。

駆け寄ってみると、黒っぽい服に身を包んでいるのは甲藤だ。こちらは外傷が多く、顔や手などあちこち切っている。だが、命に関わりそうな大きな傷は見当たらない。

「おい、聞こえるか?」

呼びかけてみると、呻《うめ》くように「ああ……生きてるぜ」と答える。脈と呼吸にも大きな乱れはなく、鱗田は室内に向かって「軽傷のようです」と告げた。

「……せん、せ……」

マメが声を発した。

「ぼく……だいじょ……スタン、ガ……」

スタンガン。

そう聞こえた。鱗田は甲藤に「すぐ戻る」と告げてからマメのもとに行き、パジャマの上を捲《めく》ってみる。背中に赤い痕《あと》があった。時間がたてば消えてしまう程度だが、これはスタンガンの痕跡《こんせき》だ。電圧にもよるが、通常命に別状はない。現に、マメはだいぶ回復してきており「僕より……甲藤、さんを」と、さっきよりはっきり言った。

鱗田が甲藤のもとに戻る。夷も来た。

甲藤は自ら上半身を起こそうとしていたが、うまくいかないらしい。鱗田が手伝ってやると、なんとか身を起こしたが、咳《せき》込んで血の混じった痰《たん》を吐いた。

左手で脇腹を庇《かば》い「やべえ」と呟《つぶや》く。

「アバラいっちまってるみてえ……」

「なにがあった」

聞いたのは夷だ。甲藤は痛みに顔を歪めたまま「俺だってわかんねえよ」と答える。

「こないだ先生に叱られてから、ずっと気になってて……火傷《やけど》も、すごく心配だったし……でもあんだけぴしゃりと拒絶されたからさ、なかなか謝りにいけなかった。グズグズ悩んだけど、ようやく決心がついて、そしたらいてもたってもいられなくなって……朝早かったけど、来ちまったんだよ。で、例によってこの庭からオハヨーゴザイマスって挨拶《あいさつ》しようとしたらさ……」

茶の間に、ぐったりしたマメを抱えた男がいたという。

グレーの作業着に帽子で、電気工事の作業員のような恰好だったらしい。

「けど、電気工事の人がチビちゃん抱えてるって変だろ？　だから俺聞いたわけだよ。あの窓越しに、あんたなにしてんだって」

次の瞬間、男は掃きだし窓を蹴《け》り破ったそうだ。甲藤の顔や手の切り傷は、その時にガラスの破片でできたものだろう。動けないマメを室内に置くと、男は猛然と甲藤に襲いかかってきたという。

「マジ死ぬんじゃねえかと思った。夷さんに仕置きされた時もだいぶやばかったけど……なんつーか、夷さんは理性があるってのはわかってたし、殺されるはずはないし。……でも、あいつは違ったんだよ」

楽しそうだった。

踊るように殴る。ステップを踏むように、蹴る。その一撃一撃がめちゃくちゃ重くて、食らうと内臓がひっくり返る。逃げるだけで精一杯だった。

いまだ青ざめて、甲藤はそう語った。

「キャップを目深にかぶってたから、顔ははっきり見えなくて……でも、ご機嫌なのは伝わってきた。こいつはきっと俺なんかどうでもいいんだろう。すごくどうでもいいんだろう。殺しちまってもちっとも構わない。進行方向にたまたまいた、蟻を踏み潰《つぶ》す程度なんじゃないかって……。実際、腕力の違い半端なかったし……自分が《犬神》だなんて思い出す暇もなかったぜ」

侵入者は、マメに対してはスタンガンを使っている。甲藤が逃走に邪魔だというなら、スタンガンの一撃を喰らわせればいいのに、そうしなかった。つまり、甲藤の言うように、そいつは楽しんでいたのだ……暴力そのものを。

「甲藤さん、大丈夫ですか」

洗足に支えられ、よろよろとマメが中庭に降りてきた。ぺたりと庭石に座りこみ、怖々と甲藤の顔に触れる。

「こんなに……血が……」

大きな目から、ぼろぼろと涙が零《こぼ》れた。

「ごめんなさい……僕のせいです、ごめんなさい……」

「お、おい、泣くなよ……ちょ……困ったな……」

無垢《むく》なマメに泣かれて、甲藤は狼狽《ろうばい》したようだ。痛みを堪《こら》え、右手をなんとか動かすと、マメの頭をくしゃりと撫《な》でる。

「泣くなって。おまえ、見た目はチビでも大人なんだろう。前にそう言ってたじゃないか。なら泣くなよ。俺は大丈夫だから。やばかったけど、こうして生きてる」

「そう、ですよね……でも……ごめんなさ……」

なかなか泣き止むことのできないマメが、洗足にぎゅっと抱きつく。見た目も少年のようなマメは、感情の制御が未発達で、とくに恐怖のコントロールが難しいらしい。

「甲藤くん」

マメの小さな頭を抱えるようにして、洗足が口を開いた。

「ありがとう。マメを助けてくれて感謝します」

まっすぐな謝辞に、甲藤が面食らってポカンと口を開ける。よほど驚いたのか「いや……いえ……そ……、は、はい……」とおかしな返答になっていた。

「その男の顔は見なかったんだね？」

「み、見たは見たんだけど……そいつ、マスクもしてて……。ただ、かなりでかい奴でした。俺よりタッパがあったと思います」

「玄関に警察官が倒れていましたが」

「あ……玄関のほうで誰かの声が聞こえました。そしたら、そいつ俺をボコるのやめて逃げてったんです」

「どっちへ?」

「茶の間にまた入って……俺、チビちゃんが連れていかれるかと思ったんだけど」

だが、男はマメを無視して、ひとりで逃走したと言う。

玄関で警察官に出くわしたものの、易々と伸《の》して出て行ったのだろう。おそらく、近くに車を用意していたはずだ。電気工の制服ならば、やはり電気工事業を模した車に違いない。町中に馴染《なじ》み、誰も不審に思わない車輛《しゃりょう》だ。

「どうしてマメを連れていかなかったんでしょう?」

夷がぼそりと言う。

「警察官が来たということは、勘づかれたということですからな……。すでに先生や私らが向かっているとわかり、諦《あきら》めたのかもしれません。甲藤にも目撃されているので、リスクが高いと踏んだか……奴は狡猾《こうかつ》で、大胆だが、同時に慎重でもある」

鱗田の答えに、甲藤が「えっ、犯人わかってんのか?」と驚く。

そう……ここにいる誰もが、すでにある人物を犯人と想定して話しているのだ。

早朝の妖琦庵にマメしかいないと知っている人物……警察を騙《かた》り、洗足と夷を呼び出した人物。それができるのは、ひとりしかいない。

洗足はマメを抱えたまま押し黙っている。

一見落ち着いて見えるが、その目の奥に揺らめいているのは怒りの焔《ほのお》だ。

所轄の刑事がやってきて、警官に命の別状はないと告げた。

「スタンガンでやられたようです。改造して出力を上げていたらしく、一瞬で気絶してしまったと。今、応援を要請しました。救急車輌も……」

言葉の途中で「マメくんッッ！」と飛び込んできたのは脇坂だ。

泣いているマメを見てぎょっとし、傷だらけで座り込む甲藤を見てさらに目を見開く。なにを勘違いしたのか、すごい形相になり、

「甲藤！　この野郎……!!」

と甲藤に摑《つか》みかかりそうになったが、夷に呆気《あっけ》なく襟首を摑まれ「違いますよ」と止められる。

「はいはい、落ち着いて。甲藤くんはマメを助けてくれたんです」

「…………は？」

信じがたいという顔をした脇坂だが、マメが手の甲で涙を拭《ふ》きながら「ほんとです」と脇坂に言った。

「攫《さら》われそうになった僕を、助けてくれたんです。そのせいで甲藤さんは怪我を……」

脇坂は甲藤をまじまじと見て「おまえが？」と聞く。甲藤は夷が渡したハンカチで頬の裂傷を押さえつつ、「たまたまな」と答えた。

「たまたま、そういう場に行き合わせちまったんだ。チビちゃんは先生の大事な家族なんだし、助けないわけにもいかねーだろ」

ややや威張って言ったあと、

「……まあ、俺が助けたといえるかは微妙だけどな」

と自分でつけ足す。実は伸されかけたことまでは言わなかった。

脇坂は、へなへなとその場に尻《しり》を突く。安心して脱力したようだ。

「……おまえがマメくんを……そうか……」

「あんたも傷だらけじゃねーか」

「僕は……それが仕事だから……」

脇坂は少しよろけつつ立ち上がり、甲藤に向かってぺこりと頭を下げ「ありがとう」と言った。

「誤解して悪かった。マメくんを助けてくれて、本当にありがとう」

甲藤は脇坂を見上げ「今日はすげえ感謝される日だなぁ……」といささか照れたように言う。

ほどなく、警察車輌と救急車が到着した。

マメと甲藤は検査のため病院へ搬送されることになる。夷はふたりに付き添って一緒に救急車に乗った。まもなく、鑑識班も到着するだろう。

洗足の姿が見えない。

鱗田が中庭に行ってみると、蹲踞《つくばい》の前に立っていた。

腕組みをし、無言で手水鉢《ちょうずばち》の水面を見つめている。母屋の軒下には脇坂がいて、なにも言わずに洗足を見つめている。どう声をかけていいのかわからないようだ。

鱗田もその隣に立つ。やはり、なにを言えばいいのかわからない。

海棠《かいどう》の花が散っている。

手水鉢の中にも何枚か散り落ちているだろう。いつのまにか盛りを迎えていたらしい。

洗足の上にも、ひらりひらりと花びらが降る。こんな状況でなかったら、とても美しい光景のはずだ。

「洗足先生」

捜査一課の玖島《くじま》が現れ、洗足に声を掛けた。

洗足は無言のまま、玖島を見返す。なにを言われたわけでもないのに、玖島はなぜかじわりと後退して「ゆ、誘拐未遂ならびに傷害事件として、捜査しますので、お話を」といくぶん焦ったように告げる。

洗足はなにも答えず、踵《きびす》を返した。そのまま歩き出し、茶室へと向かっていく。

「あの、どちらへ」

あとを追おうとした玖島を「だめです」と脇坂が引き留めた。

「なんだ、なにがだめなんだ」

「こっちは妖琦庵に行く道です。あの茶室は、招かれてない人は入れません」

「なんできみが知ったかぶるんだね。私は捜査について……」

鱗田はのそりと進み「玖島さん」と脇坂とふたりで、挟む位置につく。そうこうしているうちに、洗足は吸い込まれるように茶室に消えてしまっていた。

「脇坂の言うとおりです。茶室には入れない。……しばらく、先生をひとりにしてやってくれませんか」

「ウロさんまでそんなこと言い出すんですか。捜査に協力してもらわなければ、捕まるものも捕まらないでしょうが！」

「……捕まえられますかね？」

低く聞くと玖島は一瞬詰まり、だがすぐ顎《あご》にぐっと力を入れて「当然だ」と答える。

「犯人は捕まえる。そのために私たちは仕事をしているんだ」

かくも自分を信じる玖島の姿勢が、鱗田は嫌いではない。玖島にしたって青目の手強《てごわ》さはよく承知なのだ。それでも絶対に捕まえると断言する……それぐらいの気概がなければ刑事という職は務まらない。

「玖島さん、あんたの気持ちはわかるよ。刑事としては正しい」

けど、と続ける。

「今は少しだけ、先生をほっといてやってくれないか。あの人は……考えなければならないんだ」

「なにを」

「全部だよ。この家を、妖琦庵を、夷さんやマメくんをどう守るか。そのために自分はなにをすべきか。どんな覚悟と決意をもって……あの男に向き合うか」

青目甲斐児。

奴はとうとう、最後の一線を越えた。妖琦庵に住む者に手を出した。この、小さいが美しい庭を持つ洗足の聖域に踏み込んだ。

洗足は家族を守らなければならない。

半分血の繋《つな》がった弟から……つまり、血縁のある家族から、血縁のない家族を守らなければならないのだ。なんという皮肉だろうか。

玖島は口を曲げて黙る。

脇坂は俯《うつむ》いている。

鱗田はなすすべもなく中庭を見つめた。海棠の花びらは庭じゅうに散っている。桜ほどではないが、そう長く咲いている花ではないのだ。どれほど美しい花も、散れば人に踏まれて汚くなる。

そして、一生に一度も花を踏まず生きられる者など――きっといない。

〈参考文献〉
『日本妖怪大事典』水木しげる／画、村上健司／編著（角川書店）
『母は娘の人生を支配する　なぜ「母殺し」は難しいのか』斎藤環（ＮＨＫブックス）

本書は書き下ろしです。
この作品はフィクションです。実在の人物、団体等とは一切関係ありません。

妖《よう》琦《き》庵《あん》夜《や》話《わ》　魔女《まじょ》の鳥籠《とりかご》

榎田《えだ》ユウリ

角川ホラー文庫　　H え3-4　　19140

平成27年 4 月25日　初版発行

発行者———堀内大示
発行所———株式会社KADOKAWA
東京都千代田区富士見2-13-3
電話(03)3238-8521(営業)
〒102-8177
http://www.kadokawa.co.jp/
編　集———角川書店
東京都千代田区富士見1-8-19
電話(03)3238-8555(編集部)
〒102-8078
印刷所———暁印刷　製本所———BBC
装幀者———田島照久

ISBN978-4-04-102940-4 C0193

角川文庫発刊に際して

角川源義

第二次世界大戦の敗北は、軍事力の敗北であった以上に、私たちの若い文化力の敗退であった。私たちの文化が戦争に対して如何に無力であり、単なるあだ花に過ぎなかったかを、私たちは身を以て体験し痛感した。西洋近代文化の摂取にとって、明治以後八十年の歳月は決して短かすぎたとは言えない。にもかかわらず、近代文化の伝統を確立し、自由な批判と柔軟な良識に富む文化層として自らを形成することに私たちは失敗して来た。そしてこれは、各層への文化の普及滲透を任務とする出版人の責任でもあった。

一九四五年以来、私たちは再び振出しに戻り、第一歩から踏み出すことを余儀なくされた。これは大きな不幸ではあるが、反面、これまでの混沌・未熟・歪曲の中にあった我が国の文化に秩序と確たる基礎を齎らすためには絶好の機会でもある。角川書店は、このような祖国の文化的危機にあたり、微力をも顧みず再建の礎石たるべき抱負と決意とをもって出発したが、ここに創立以来の念願を果すべく角川文庫を発刊する。これまで刊行されたあらゆる全集叢書文庫類の長所と短所とを検討し、古今東西の不朽の典籍を、良心的編集のもとに、廉価に、そして書架にふさわしい美本として、多くのひとびとに提供しようとする。しかし私たちは徒らに百科全書的な知識のジレッタントを作ることを目的とせず、あくまで祖国の文化に秩序と再建への道を示し、この文庫を角川書店の栄ある事業として、今後永久に継続発展せしめ、学芸と教養との殿堂として大成せんことを期したい。多くの読書子の愛情ある忠言と支持とによって、この希望と抱負とを完遂せしめられんことを願う。

一九四九年五月三日